**Curso comunicativo
de español
para extranjeros**

Esto funciona

B

Libro de ejercicios

Equipo Pragma:
Lourdes Miquel López
Neus Sans Baulenas
Terencio Simón Blanco
Marta Topolevsky Bleger

Diseño gráfico y portada:
Viola & París

Ilustraciones:
Romeu
Mariel Soria

Técnico de grabación:
Joan Vidal

edelsa
EDICIONES EUROLATINAS SA

edi 6 Plaza Ciudad de Salta, 3
28043 - MADRID - (ESPAÑA)
TELFS. (1) 416 55 11 - (1) 416 53 31 - (1) 416 52 18
FAX. (1) 416 54 11

Primera edición, 1987
Segunda edición, 1988
Tercera edición, 1989
Cuarta edición, 1992
Quinta edición, 1993

6

NO PONGA ESA CARA, HOMBRE

1.1.

En este hospital están los siguientes personajes. Búscalos:

– una persona que ya puede irse a casa

– alguien a quien le dan mucho miedo las inyecciones

– una persona que pasa hambre

– otra que se ha mareado

– una señora que está muy desanimada porque la han operado muchas veces

– otra que ya se encuentra mejor

– un chico al que van a operar pronto

1.2.

¿**Verdad o mentira?**

		V	M
1.	El señor del pijama de rayas azules tuvo un ataque de corazón.	☐	☐
2.	Al chico que van a operar ya le han dicho cuando será la operación.	☐	☐
3.	A la señora que está mejor le han regalado un libro.	☐	☐
4.	Al chico que le duele la barriga le duele más si le aprietan.	☐	☐
5.	Al señor que le dieron un calmante ya no le duele nada.	☐	☐

1.

Lee este anuncio aparecido en varios periódicos españoles:

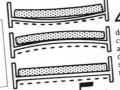

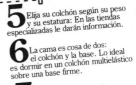

¿Hay cosas que no sabías? ¿Por qué no escribes una lista de lo que debes intentar hacer?

Si estos consejos te han interesado, lee este otro anuncio y procura recordar las ventajas de este somier.

2.

Fíjate en estos anuncios y contesta
a las preguntas:

**No deje que le vendan
el seguro de otro.**

Usted es único, genuino, irrepetible, inimitable y exclusivo. En serio. Tan en serio que en LA ESTRELLA le hacemos un seguro exclusivamente para usted, que se adapta a sus necesidades específicas protegiéndole de cualquier eventualidad. Por eso, no deje que le vendan el seguro de otro. Consiga un seguro de vida muy personal.

Si quiere saber cuál es el seguro que más le conviene, rellene este cupón y remítalo a LA ESTRELLA, c. Gran Vía, 7. 28013 Madrid.

Apellidos ....
Nombre ....
Fecha de Nacimiento ....
Profesión ....
Estado Civil ....
Hijos .... Edades ....
¿Podría vivir sin trabajar? SI ☐ NO ☐
¿Dedica tiempo a sus hobbies? SI ☐ NO ☐
Calle .... N° ....
Ciudad .... C. Postal ....
Teléfono ....

**La Estrella.
Seguros muy personales.**

La Estrella
S. A. de Seguros
Grupo Banco Hispano Americano

---

① 2

Hay que remangarse.
FALTA SANGRE

**CAMPAÑA DONACION
DE SANGRE**
MINISTERIO DE SANIDAD Y CONSUMO

En todas las capitales de provincia, cerca de su domicilio, existen bancos de sangre de la Seguridad Social, Hermandad de Donantes o de la Cruz Roja.

(91)-239 52 08

Donar sangre es fácil, cómodo, rápido.
En este teléfono le informarán.
Llamar de 9 a 14 horas.

---

③

¿ESTA VD. BIEN?

Compruebe sus datos en el Ayuntamiento del 28 de Abril al 5 de Mayo.
Para votar hay que estar. Bien.

Censo electoral

Un nombre, un voto.

ine
OFICINA DEL CENSO ELECTORAL

---

④

C&M

"Lo primero,
su salud."

Asegúrese en ADESLAS: un modelo de asistencia sanitaria hecho para prevenir las enfermedades y dar una atención inmediata y eficaz. Con las más avanzadas especialidades en las mejores clínicas privadas. Libre elección del médico de cabecera, del pediatra y todos los especialistas. Servicio de urgencias durante las 24 horas.
Asegúrese en ADESLAS.

Asistencia en toda España.
Información para Madrid: 91/429 20 00

**Asegúrese una atención
personal y privada.**

Deseo recibir información ☐ por correo.
☐ por teléfono. ☐ Deseo ser visitado.

Nombre: _____
Calle: _____
Ciudad: _____ Teléfono _____

adeslas

Compañía de Seguros ADESLAS, S. A. Plaza de Cánovas del Castillo (Neptuno), 4, 4° y 5° plantas. 28014 MADRID

Primero, su salud.

Uno de estos cuatro anuncios no tiene relación con la salud. ¿Cuál de ellos es?

      1. ___   2. ___   3. ___   4. ___

De los tres restantes, dos anuncian seguros. ¿Cuáles son?

      1. ___   2. ___   3. ___   4. ___

Ahora lee los documentos de los seguros. ¿Cuál te interesa más? Rellena el cupón del que más te interese. Pero, para decidirte y ver si hay diferencias, léelos y contesta si es verdad o mentira:

	V	M
1. Uno dice que los enfermos reciben una atención muy personal.	☐	☐
2. Uno dice que no ofrece condiciones generales, sino que se adaptan a las características de cada persona.	☐	☐
3. Uno tiene un servicio de asistencia día y noche.	☐	☐
4. Los dos son seguros de enfermedad.	☐	☐
5. Uno dice que las condiciones son generales pero que los enfermos pueden escoger médico en todos los casos.	☐	☐

Ahora que ya lo ves claro, coloca tus conclusiones en la compañía de seguros a la que corresponde cada una de ellas:

          La Estrella   Adeslas

_____   _____

_____   _____

_____   _____

Mira ahora el n.º 2. ¿Qué aconseja hacer y por qué?

_____

_____

Has intentado llamar muchas veces pero siempre comunica. ¿Por qué no escribes una pequeña carta pidiendo más información, expresando tu interés en particular, tu alegría por la existencia de este servicio, valorándolo muy positivamente, aconsejando alguna solución para ponerse en contacto telefónico con más facilidad y agradeciendo, de antemano, su respuesta.*

* Este tipo de cartas puedes encabezarlas poniendo ''Muy Sres. míos:'' y en ellas tienes que dirigirte a Uds., siempre en plural. Por ejemplo: ''Me dirijo a **Uds.** porque he leído el anuncio que **han** publicado...''.

6.

3.

Si estás preocupado por estos temas, lee este otro anuncio:

VACACIONES FAMILIARES

Si no se encuentra bien le encontraremos

Marca la respuesta adecuada:

Es un seguro:

a. de vida

b. de asistencia médica permanente

c. que ofrece diferentes tipos de asistencia durante los viajes

Sirve:

a. sólo en España

b. en España y en el extranjero

Ahora contesta a las preguntas:

1. ¿Qué se debe hacer para recibir asistencia?

2. ¿Qué haría Europ Assistance si no pudieras conducir por algún problema?

3. ¿Y si tuvieras que esperar varios días porque tuvieras el coche estropeado?

4. ¿Y si tuvieras que quedarte en un hospital?
5. ¿Qué tipo de casos son los que soluciona Europ Assistance?

6. Calcula cuánto te costaría suscribir este seguro durante un mes. ¿Te parece muy caro?

«Papá, no me encuentro bien».
¡Adiós vacaciones!
Lo que normalmente es una contrariedad, se convierte en un desastre en cuanto uno se aleja de casa.
Todos, en su familia, están expuestos a una caída. O una recaída.
Incluso usted.

¿Les pasa algo?
¿No saben qué hacer ni por dónde empezar?
¡Al teléfono! (91) 455 55 85
Díganos dónde están y qué les pasa. Dénos su número de abono a Europ Assistance.
No haga nada más.
Les encontraremos.
Pondremos a una persona especializada a su servicio que no les dejará hasta que no haya resuelto su problema apoyándose en toda nuestra organización.
Si hay que internar a alguien en un centro médico, le facilitaremos un billete a un familiar para que vaya a hacerle compa-

ñía, incluyendo la estancia.
Gratis.
Si usted no puede conducir, le pondremos un conductor.
Gratis.
Si deben esperar algunos días a causa de avería de su automóvil, se les proporciona hospedaje.
Gratis.
Y así vamos resolviendo todos los problemas materiales y humanos derivados de la interrupción, por enfermedad, accidente o avería, de sus vacaciones y excursiones familiares, o viajes de negocios, aquí o en el extranjero.

Cada año, en España, Europ Assistance protege a millones de turistas que nos visitan.
El mismo servicio le puede costar a usted poco más de 100 pts. por día de viaje por el país.
Siendo así, hágase mimar tanto como un turista.

VACACIONES PROTEGIDAS

europ assistance
Orense, 4 - 28020 Madrid
Tel. (91) 455 55 85

La manera civilizada y europea de viajar por el mundo

4.

En la farmacia has encontrado este documento y lo has cogido para leerlo en casa.

COMO USAR CORRECTAMENTE LOS MEDICAMENTOS

La correcta utilización de los medicamentos es fundamental para lograr el éxito de un tratamiento. Su cooperación puede ser muy valiosa si tiene en cuenta unas normas elementales y sigue las instrucciones que le den para tomar los medicamentos.

1.—Solicite información:

Procure que le den la máxima información sobre el tratamiento que ha de seguir y que ésta sea por escrito. De este modo evitará que el olvido de unas instrucciones de palabra pueda hacer fracasar el tratamiento.

2.—Asegúrese de que ha comprendido la información recibida:

Es importante saber con qué frecuencia hay que tomar la medicación, pues del correcto cumplimiento del horario depende el éxito del tratamiento.
Si tiene alguna duda, pida al médico o al farmacéutico que se la aclaren.

7.—Efectos secundarios:

Son las reacciones adversas o efectos indeseables que pueden producir los medicamentos, además de los efectos curativos esperados.
Algunas veces los efectos secundarios acompañan a los efectos beneficiosos y hay que aceptar esas molestias siempre que no sean graves y los beneficios obtenidos compensen las molestias.
Otras veces pueden ser el primer aviso de que el medicamento está produciendo efectos dañinos. Si sufre reacciones inesperadas, comuníquelo al médico o al farmacéutico y pida información.
Hay algunos medicamentos que producen sueño y disminución de la actividad mental. Tenga en cuenta que en dichas circunstancias puede ser peligroso conducir, manejar maquinaria o realizar otra actividad que requiera toda su atención.

3.—El medicamento es para uso personal

Un mismo medicamento puede ser bueno para Vd. y perjudicial para otra persona, aunque ésta tenga la misma enfermedad.

4.—Cumpla los horarios de las tomas:

También es muy importante seguir el horario lo más estrictamente posible, sobre todo en el caso de los antibióticos. Es conveniente que tome la medicación siempre a la misma hora. Ello le ayudará a recordar cuándo debe tomarla.
Si ha olvidado tomar una o varias dosis, no las tome todas juntas la próxima vez. Pida consejo sobre lo que ha de hacer, ya que la solución puede ser distinta según el medicamento de que se trate.

8.—Mantenga los medicamentos fuera del alcance de los niños:

Esto debe tenerlo siempre presente. Muchos medicamentos pueden producir accidentes muy graves y peligrosos en los niños, que se evitarían fácilmente teniendo los medicamentos donde ellos no puedan alcanzarlos.

RECUERDE: LOS FARMACEUTICOS SON LOS TECNICOS DEL MEDICAMENTO. CONSULTELES CUALQUIER DUDA.

CONSEJO GENERAL DE COLEGIOS FARMACEUTICOS

5.—Administración con las comidas o fuera de ellas:

«Tómese con la comida» significa que el medicamento debe tomarlo con algún alimento, aunque sólo se trate de leche y galletas. Así evitará molestias estomacales.
«Tómese fuera de las comidas» quiere decir que el estómago debe estar vacío. Debe tomar el medicamento exclusivamente con agua una hora antes o dos horas después de comer. De esta forma se evitará que la presencia de alimentos en el estómago dificulte el paso del medicamento al organismo.

6.—¡Cuidado con los medicamentos!

a) Bebidas alcohólicas: El alcohol es un depresor mental, es decir, disminuye temporalmente la capacidad de coordinación, la atención, los reflejos, etc.
Hay ciertos medicamentos que también son depresores mentales (medicamentos contra el mareo o alergias, para el resfriado, para dormir, etc.). Si toma estos medicamentos junto con alcohol, los efectos peligrosos pueden ser mucho mayores.

b) Medicamentos sin receta: Estos medicamentos pueden ser útiles para el alivio de ciertas molestias menores. Sin embargo, no carecen totalmente de peligro ya que pueden interferir con los de su tratamiento y disminuir su eficacia o aumentar su toxicidad.
Deberá por ello informar al médico o al farmacéutico de todos los medicamentos que toma (con o sin receta) para que le aconseje sobre su correcta utilización.

c) Antibióticos: Son medicamentos que destruyen ciertos microbios que producen enfermedades. Debe tener en cuenta que cualquier antibiótico no cura todas las infecciones. El médico le recetará el adecuado para tratar su infección. Deberá seguir el tratamiento durante el tiempo exacto que le diga el médico. No suprima el antibiótico antes, aun cuando los síntomas (fiebre, etc.) hayan desaparecido y se sienta mejor, porque pueden existir microbios que han sobrevivido y originarán una recaída de la enfermedad.
Es importantísimo seguir estrictamente el horario de las tomas. Si se retrasa, la cantidad de antibiótico que tenga en el organismo será insuficiente para destruir esos microbios y éstos pueden hacerse más resistentes.
La mayoría de los antibióticos deben tomarse fuera de las comidas, ya que de esta forma es más fácil el paso del medicamento al organismo.

6.

¿Qué es lo que no sabías y lo que más te ha impresionado?
Si tienes miedo de olvidarte, escribe una lista.

Ahora piensa qué hay que hacer en estos casos y subraya en el documento la respuesta:

1. ¿Qué pasaría si tomaras pastillas para dormir y bebieras vino, ginebra u otra bebida alcohólica?

2. Quieres tomarte unos medicamentos que no necesitan receta. ¿Qué deberías hacer para estar seguro de que los tomas bien?

3. Si tienes que tomar antibióticos, ¿qué conviene hacer?

4. Si estás tomando pastillas que producen sueño, ¿qué debes evitar hacer?

5. ¿Qué es necesario hacer si tienes dudas con un medicamento?

5.

Tienen muchas dudas. Aconséjales algo:

¿Voy en avión o cojo el coche?

Lo mejor es que vayas en avión, creo yo.

1. ● ¿Les llamo o no les digo nada?

   ○ _____

2. ● ¿Me compro éste o el que vimos ayer en la Calle Montera?

   ○ _____

3. ● ¿Preparo algo y cenamos en casa o les invito a ir a tomar algo por ahí?

   ○ _____

4. ● ¿Paso antes para pedir hora o voy directamente?

   ○ _____

5. ● ¿Reservo una habitación o busco una cuando esté allí?

   ○ _____

6. ● ¿Espero un rato más o vuelvo a llamar?

   ○ _____

7. ● ¿Se lo comento en la carta o lo dejo para otro momento?

   ○ _____

8. ● ¿Les llevo unas flores o una botella de vino?

   ○ _____

6.

Tu compañero está preocupado porque sucede algo raro. Contéstale formulando hipótesis que den una explicación:

1. ● ¡Qué raro que todavía no hayan llegado! ¡Ya son las seis!

   ○ Probablemente_____

2. ● ¿Dónde estará Tomás?

   ○ Lo más probable es que_____

3. ● ¡Qué raro! No encuentro mis llaves por ningún sitio...

   ○ Posiblemente_____

4. ● ¿Por qué estará Daniel de tan mal humor? ¿Se habrá enfadado con nosotros?

   ○ No, hombre, lo más probable es que_____

5. ● No contestan... Es raro, ¿no? Dijeron que estarían en casa por la tarde.

   ○ Posiblemente_____

7.

Completa con los tiempos adecuados:

1. Si (TENER-yo) _____ un poco más de tiempo libre, (PONERME) _____ a estudiar ruso. Es una lengua que me encanta.

2. Estoy segura de que, si (PODER-él) _____, aunque no lo diga, (DEJAR-él) _____ la empresa de sus padres, pero como es tan difícil encontrar trabajo...

3. Si esto mismo lo (DECIR) _____ Nacho y no yo, lo (CREER-tú) _____, pero, claro, como lo digo yo...

4. Si (SABER-yo) que están en casa, (IR-yo) _____ a verles, pero como no tienen teléfono... A lo mejor han salido.

5. Si (HACER-él) _____ el régimen que le dijo el médico, (ENCONTRARSE-él) _____ mucho mejor, pero como come de todo...

6. (VIVIR-nosotros) _____ más cerca, (VERNOS) _____ más a menudo, pero como es tan difícil venir hasta aquí...

6.

7. Si (TENER-él) _____ el carné de conducir, (TENER-él) _____ mucha más libertad, pero no le gusta conducir.

8. Si la (CONOCER-tú) _____ más a fondo, (DARTE-tú) _____ cuenta de que es una mujer formidable. Lo que pasa es que, al principio, no cae bien a nadie.

8.

Expresa deseos ante estas situaciones utilizando ojalá:

1. Mañana quieres ir a la playa. Hoy no hace muy buen tiempo.

   ● Ojalá _____

2. El domingo quieres ir de excursión con unos amigos. Ahora tienes la gripe.

   ● Ojalá _____

3. Te das cuenta de que no llevas puesto el reloj. Es un reloj muy bueno. A lo mejor lo has olvidado en casa.

   ● Ojalá _____

4. Ves en el periódico el anuncio de un piso que te interesa mucho, pero quizás ya está alquilado.

   ● Ojalá _____

9.

Imagina qué ha podido decir la otra persona:

1 ● _____

   ○ Sí, claro, no faltaría más.

2. ● _____

   ○ Eso espero.

3. ● _____

   ○ No, gracias, no hace falta que se moleste.

4. ● _____

   ○ Ya estoy bastante mejor, gracias.

5. ● _____

   ○ Pues iba yo tranquilamente por mi derecha y se me echó encima una moto... Y, ya ves...

6.1.

MODELO: estar todos juntos
¡Qué bien estar todos juntos!

1. estar todos juntos
2. haber llegado tan pronto
3. no tener que esperar
4. haber encontrado una solución
5. haber terminado ya
6. no tener que volver esta tarde

6.2.

MODELO: ya se encuentra mejor
¡Qué bien que ya se encuentre mejor!

1. ya se encuentra mejor
2. hemos encontrado hotel pronto
3. has podido venir
4. podéis quedaros hasta el lunes
5. ha encontrado trabajo
6. no la tienen que operar

6.3.

MODELO: todo irá bien
No te preocupes. Ya verás como todo irá bien.

1. todo irá bien
2. no le ha pasado nada
3. encontramos una solución
4. lo harás muy bien
5. todo sale bien
6. es muy fácil

6.4.

MODELO: es muy pesado
No puede imaginarse lo pesado que es.

1. es muy pesado
2. es muy bonito
3. es muy divertido
4. es muy desagradable

6. Lo que oyes

6.5.

    MODELO: se puso muy nervioso
                No sabes lo nervioso que se puso.

1. se puso muy nervioso
2. lo hicimos muy mal
3. fue muy aburrido
4. está muy cambiado
5. lo pasaron muy mal

6.6.

    MODELO: las motos
                Me dan un miedo las motos...

1. las motos
2. estas cosas
3. los ratones
4. los aviones
5. los fuegos artificiales

6.7.

    MODELO: pasar por esta calle de noche
                ¡Qué miedo me da pasar por esta calle de noche!

1. pasar por esta calle de noche
2. ir con él en el coche
3. ir al dentista
4. quedarme solo con ellos
5. conducir de noche

6.8.

    MODELO: llamarme un poco más tarde
                ¿Le importaría llamarme un poco más tarde?

1. llamarme un poco más tarde
2. esperarme un momento
3. acercarme esos libros de ahí
4. ir a la oficina del Sr. Pérez
5. ayudarme un segundo

6.9.

Repite:

1. ¿Le puedo pedir un favor?
2. ¿Puedes hacerme un favor?
3. Por supuesto, no faltaría más.
4. Sí, claro, lo que quieras.
5. Sí, por supuesto, dígame.

6.10.

MODELO: voy yo
¿Quieres que vaya yo?

1. voy yo
2. paso a recogeros en coche
3. os acompaño
4. vuelvo mañana por la mañana
5. se lo decimos nosotros
6. les llamo ahora mismo

6.11.

MODELO: bajo a comprar café yo
Si quiere, bajo a comprar café yo.

1. bajo a comprar café yo
2. les llamo esta noche
3. le llevo la carta esta tarde
4. me quedo con usted hasta que vuelva su hija
5. le hago unas fotocopias de los documentos
6. se lo traigo mañana

6.12.

MODELO: es muy tarde/no puedo ir con vosotros
Si no fuera tan tarde, iría con vosotros.

1. es muy tarde/no puedo ir con vosotros
2. mañana trabajo/no puedo quedarme esta noche
3. hace muy mal tiempo/no podemos dar un paseo por el parque
4. tengo que quedarme con los niños/no puedo pasarte a ver un rato
5. come mucho/no puede adelgazar

6.13.

Repite:

1. ¿Qué tal te encuentras hoy?
2. ¿Y cómo te lo hiciste?
3. ¡Uy! ¡Qué daño me he hecho!
4. ¡Cómo me duele la garganta!
5. Venga, anímese.
6. ¡Ojo! Ten cuidado con eso.
7. Muchas gracias. No hacía falta que se molestara.

6. Lo que oyes

6.14.

       MODELO: comer menos carne
                    Deberías comer menos carne.

1. comer menos carne
2. dormir más
3. trabajar menos
4. hacer un poco de deporte
5. dejar de fumar
6. beber menos

6.15.

       MODELO: llegar antes de las diez
                    Procure llegar antes de las diez.

1. llegar antes de las diez
2. venir pasado mañana
3. no comer grasas
4. estar aquí a las cinco y media
5. traer una fotocopia del pasaporte

6.16.

Escucha estos diálogos y escribe qué favores han pedido y, cuando lo sepas, para qué y/o hasta cuándo:

1. _____

2. _____

3. _____

4. _____

5. _____

6. _____

7. _____

8. _____

9. _____

10. _____

*H*ay desayunos, comidas y cenas que suponen una batalla y un drama familiar. Deberíamos empezar a pensar que el niño no es una máquina de comer y que cuando una discusión acaba con el insulto y la amenaza estamos comenzando a maltratar de una forma socialmente aceptada al pequeño. Los problemas vendrán después y lo que era un niño que no comía, se transforma en un niño difícil. Respete sus derechos, que son los mismos que los suyos. Son pequeños, pero no son tontos.

Póngase a su altura.

ESTE NIÑO ES TONTO.

¡PORQUE LO DIGO YO!

ASOCIACION PRO DERECHOS HUMANOS
CON LA COLABORACION DEL MINISTERIO DE TRABAJO Y SEGURIDAD SOCIAL
SECRETARIA GENERAL PARA LA SEGURIDAD SOCIAL – DIRECCION GENERAL DE ACCION SOCIAL.

*¿S*e imagina lo enormemente grande que le ve su hijo a usted? Es hora de que comience a ponerse a su altura. Hablando, razonando con ellos. Esa será la forma de ejercer su autoridad. El hacer ley de sus palabras puede ser —piénselo un momento— reflejar en el pequeño sus frustraciones personales. Aquí comienza un mal trato que aceptamos socialmente y está mal. Déjele decir a él. Aunque es un niño tiene sus derechos y no son pequeños.

Póngase a su altura.

ASOCIACION PRO DERECHOS HUMANOS
CON LA COLABORACION DEL MINISTERIO DE TRABAJO Y SEGURIDAD SOCIAL
SECRETARIA GENERAL PARA LA SEGURIDAD SOCIAL – DIRECCION GENERAL DE ACCION SOCIAL.

6. Al pie de la letra

—¿Quiere que le diga una cosa, Teniente? —dijo Don Jerónimo—. Espero que no se enoje.

—Si me puedo enojar, mejor no me la diga —gruñó el Teniente—. No estoy de humor para huevadas.

—Mensaje recibido y entendido —gruñó el taxista.

Mario Vargas Llosa, *¿Quién mató a Palomino Molero?*

—Ven acá, hija— murmulló él sin volver la cabeza.

—¿Qué quieres?

—Niña de mi vida, hazme un favorcito.

Con aquellas ternuras se le pasó a la Delfina todo su furor. Aflojó los dientes y dio la vuelta hasta ponerse delante. —Hazme el favorcito de ponerme otra manta. Creo que me he enfriado algo.

Jacinta fue a buscar la manta. Al ponerle la manta le dijo: —Abrígate bien, infame.

Y a Jacinta no se le ocultó la seriedad con lo que decía. Al poco rato volvió a tomar el acento mimoso:

—Jacintilla, niña de mi corazón, ángel de mi vida, llégate acá. Ya no haces caso del sinvergüenza de tu marido.

—Celebro que te conozcas. ¿Qué quieres?.

—Que me quieras y me hagas muchos mimos. Yo soy así. Reconozco que no se me puede aguantar. Mira, tráeme agua azucarada... templadita, ¿sabes? Tengo sed.

Al darle agua, Jacinta le tocó la frente y las manos. —¿Crees que tengo calentura?.

—De pollo asado. No tienes más que impertinencias. Eres peor que los chiquillos.

—Mira, hijita, cordera; cuando venga "La correspondencia", me la leerás. Luego me leerás "La Época" ¡Qué buena eres! Te estoy mirando y me parece mentira que tenga yo por mujer a un serafín como tú. Y que no hay quien me quite esta ganga... ¡Qué sería de mí sin ti..., enfermo, postrado!...

—¡Vaya una enfermedad! Sí; lo que es por quejarte no quedará...

Doña Bárbara entró diciendo con autoridad:

—A la cama, niño, a la cama. Ya es de noche y te enfriarás en ese sillón.

—Bueno, mamá, a la cama me voy. Si yo no chisto, si no hago más que obedecer a mis tiranas... Jacinta, ponme un pañuelo de seda en la garganta... Chica, no aprietes tanto, que me ahogas... Quita, quita; tú no sabes. Mamá, ponme tú el pañuelo... No, quitádmelo; ninguna de las dos sabe liar un pañuelo. ¡Pero qué gente más inútil!

Benito Pérez Galdós, *Fortunata y Jacinta.*

ESPECIAL CONDUCTORES

Durante los próximos días aumentará notablemente la circulación en nuestras carreteras.

(91) 742 12 13

Para ayudarle en sus desplazamientos, la Dirección General de Tráfico desplegará todos sus medios técnicos y humanos. Queremos que conozca las medidas que puedan afectarle de una forma directa.

Por eso le ofrecemos un especial teléfono. Para que pueda estar <u>totalmente informado</u>. Y para que, además, pueda solicitar servicio de auxilio mecánico y sanitario de forma permanente.

Gracias, Señor.

La Dirección General de Tráfico intenta cubrir dos grandes objetivos:

Lograr la mayor seguridad para usted y hacer más fluido el tráfico en nuestras carreteras. Para ello solicitamos su colaboración.

Ponga a punto su vehículo (frenos, luces, presiones, etc.).

No tome bebidas alcohólicas y no haga comidas copiosas.

Si a pesar de todas las medidas adoptadas se encuentra en caravana, acepte el hecho y mantenga la velocidad que la circulación imponga, evitando adelantamientos y cualquier maniobra brusca. Cumpla las indicaciones de la señalización y de los agentes de la Guardia Civil de Tráfico.

Gracias por su ayuda.

Dirección Gral. de Tráfico

Miedo a salir de casa

Un gran número de mujeres padecen
agorafobia, un trastorno nervioso que
se manifiesta en lugares públicos

MARIUS CAROL, **Barcelona**

La agorafobia, que se define como el miedo a alejarse de un lugar seguro o de una persona que inspira seguridad, se inicia entre los 18 y los 35 años. En casos no tratados clínicamente puede prolongarse hasta edades más avanzadas. Las dos terceras partes de las personas que sufren esta ansiedad son mujeres. Por esta razón, llegó a llamarse a la agorafobia el *síndrome del ama de casa*. La psicóloga Isabel S. Larraburu está haciendo una tesis doctoral sobre las crisis de pánico que suelen estar presentes en la agorafobia.

"Me llamo Cristina, tengo 51 años y soy ama de casa. Mi marido tiene cuatro años más que yo, trabajaba en la Pegaso y le han dado la jubilación anticipada. Tengo tres hijos y una vida normal, hasta hace cuatro años. Entonces empezó todo. Fue un día, cuando, de camino al mercado de Virrey Amat, comencé a tener una sensación rarísima. Noté un sofoco, palpitaciones, temblor en las piernas y la cabeza como si me fuera a estallar. A partir de aquel día empecé a acobardarme, a no salir de casa, sentí un miedo atroz a enfrentarme con la calle".

Aproximadamente las dos terceras partes de los agorafóbicos indican que el trastorno se inició con una crisis de pánico que les sobrevino de forma brusca en un lugar público o en un transporte colectivo, según la psicóloga Isabel S. Larraburu, quien añade que muchas veces la crisis se manifiesta en un momento en que la persona está pasando un período de estrés, un conflicto matrimonial, una enfermedad o la muerte de un familiar. Se han dado casos en que el conflicto ha surgido después del nacimiento de un niño o tras una operación quirúrgica.

"Nací en Buñuel (Navarra), de donde era mi madre. Mi padre era aragonés, en casa éramos cuatro hermanos y yo la única chica. Mi padre tuvo una hemorragia de estómago y fue preciso internarlo. Tenía 72 años y los médicos eran pesimistas. Pero resistió bien la intervención. Sin embargo, en los meses siguientes tuvo complicaciones que no pudo superar. Yo siempre he sufrido mucho por los míos. Cada vez que sonaba el teléfono en los meses en que mi padre estuvo enfermo, el corazón me daba un vuelco. Además, acababa de sufrir un aborto, y aquello resultó un golpe muy fuerte para mí".

"El pediatra de uno de mis hijos me recomendó que fuera a un internista, cuando le comenté lo que me pasaba. Me hicieron análisis de sangre y confirmaron que no tenía problemas de azúcar ni de coleste-

rol. Me miró la vesícula, porque le dije que me costaba hacer la digestión. Era muy extraño: comía más de lo normal y me adelgacé seis kilos. De 64 pasé a 58. Dormir, dormía bien. El especialista me dio mucho hierro. Además, me recetó dos Valium diarios, aunque decidí prescindir de la pastilla de la noche porque me daba pesadillas. Recuperé peso, pero seguía con mi miedo a salir de casa. Sólo iba a algún sitio con mi marido o con alguna amiga. A veces, llamaba a alguna vecina, que me acompañaba a hacer la compra. Compraba para una semana para no tener que volver a salir. Aquello era un calvario. Estuve más de tres años así".

Según los datos recogidos por la psicóloga, los síntomas pueden incrementarse por un estado de estrés general o por conflictos con otras personas, pero pueden mejorar con la presencia de un compañero al que se tiene confianza. Para algunos, sólo una persona adulta puede conseguir un efecto benéfico; para otros, basta la presencia de un niño, un perro o incluso un objeto inanimado como una bolsa o un paraguas. Explica Isabel S. Larraburu que la ansiedad fóbica que experimentan estas personas se acompaña de algún grado de evitación, manteniéndose lejos de las situaciones que le producen más miedo. Así, su círculo vital se restringe.

"Una cosa de nervios"

"Al cabo de muchos meses de tratamiento, el internista me dijo que lo mío debía ser cosa de nervios. Un conocido nos recomendó que acudiéramos al Hospital Clínico de Barcelona. Pero hasta entonces lo que viví fue terrible. Estaba acobardada. Si me faltaba pan, hacía ir al pequeño. Si tenía que acudir a la carnicería, llamaba por teléfono pidiendo lo que necesitaba para no hacer cola. Y, si finalmente salía, era porque resultaba más fuerte la angustia de no dar de comer a mis

hijos. Muchas veces, cuando tenía que salir a comprar, pasaba bastante rato arreglándome para verme bien y decirme a mí misma: 'No te pasa nada, tienes buen aspecto, adelante'. Pero luego, si veía gente en la tienda, volvía con la cesta vacía. Al final, sólo asomarme a la calle, empezaba a sentir vértigo, malestar en el estómago, y me sentía atrapada por un mareo".

Los familiares y amigos acaban haciendo la compra o acompañan a los niños al colegio; las visitas a los amigos se reducen, advierte en su trabajo la psicóloga Isabel S. Larraburu. Como todos los trastornos de ansiedad, los síntomas fisiológicos pueden ser sequedad de boca, sudoración, palpitaciones, sensación de desmayo, vértigos, hiperventilación que conlleva mareo e inestabilidad, flojedad de piernas, temblores... En cuanto a las manifestaciones del pensamiento, es frecuente el miedo al miedo y el temor a perder el control, enloquecer, tener un paro cardiaco o desmayarse ante extraños. En cuanto a las características de personalidad, suelen ser personas en estado de alerta constante, pasivo-dependientes y con tendencia a la inhibición sexual.

"A los míos intentaba no preocuparlos demasiado con mi problema, pero callármelo me hacía sentir más desgraciada. Había llorado muchas veces cuando estaba sola casa".

En estos casos, explica la psicóloga, a pesar de que hay quien utiliza fármacos, se puede actuar sobre la conducta con un programa gradual para vencer la ansiedad. Se trata de que, de forma escalonada, el paciente coja seguridad y confianza, sedimentando cada avance. Así, a las primeras sesiones, la paciente viene acompañada. A continuación, la acompañan sólo hasta la salida del *metro*. Luego deberá coger el *metro* sola y, en la parada siguiente, la esperará un familiar. Con esta programación, llegará un momento en que podrá tomar el *metro* por ella misma y llegar al hospital, y volver a ir al mercado sin compañía. A los tres meses se le reservará un día en solitario en unos grandes almacenes.

"No fue fácil. Primero mi marido iba a mi encuentro. Luego mi hijo era quien me esperaba en la parada siguiente del *metro*. El día que pude ir y volver sola a mi casa creí morir de felicidad. En tres meses he logrado lo que no pude en casi cuatro años de tranquilizantes y vitaminas. Si alguna vez me pongo nerviosa, hago lo que me dijo la psicóloga: miro un escaparate, me relajo y autocontrolo mi ansiedad. Entonces pienso que he vuelto a nacer".

7

¿Y ESTO PARA QUÉ SIRVE?

1.1.

Relaciona las frases de acuerdo con lo que dicen en la tienda de electrodomésticos:

Para cambiar algo	hacen un descuento del cinco por ciento
Si se paga al contado	tiene garantía
El Seat 131 amarillo	hay que llevar la factura
El aparato que se ha estropeado	es del señor de los paquetes
Entre las cámaras que está viendo la chica rubia	no hay mucha diferencia de precio

1.2.

Busca a los siguientes personajes:

– uno que tiene un coche demasiado viejo

– uno que ha aparcado mal

– los que están eligiendo un regalo

– la que ya ha comprado un regalo

– la que quiere comprar un regalito no muy caro

1.

Estás interesado en comprarte un video **BETA**, pero no sabes qué modelo te irá mejor.
Piensa para qué necesitas el video, lee atentamente la parte de abajo de este folleto y
mira la descripción de las características del que has escogido. ¿Lo entiendes todo?
Decide cuál vas a comprarte y apunta las preguntas que piensas hacerle al vendedor para
aclarar tus dudas.

La oferta del año.

A partir de ahora y a través de nuestros productos vamos a mostrarle porque los populares videos SONY Betamax basan su prestigio y liderazgo en el mejor sistema de grabación y reproducción.

Video Beta Hi-Fi HF-100
► Grabación con sonido en Super Alta Fidelidad.
► Amplia gama dinámica: más de 80 dB.
► Sintonía automática.
► Búsqueda rápida de imagen (Skip Scan).
► Mando a distancia por infrarrojos.

Video Betamax F-60
► Control remoto por infrarrojos.
► Congelación de imagen perfecta.
► Quick Timer.
► Auto On.
► Programación: 4 prog/21 días.
► Sintonía automática.
► Auto play.
► Display digital.
► Auto rebobinado.
► Skip Scan.
► Búsqueda de imagen (Picture Search).
► Diseño super estilizado: 8 cm. de altura.
► Selector de tono.
► Conmutador DX/Local.

Video Betamax F-30
► Control remoto por infrarrojos.
► Quick Timer.
► Auto On.
► Programación: 1 prog/21 días
► Sintonía Automática.
► Auto play.
► Display digital.
► Auto rebobinado.
► Skip Scan.
► Búsqueda de imagen (Picture Search).
► Diseño super estilizado: 8 cm. de altura.
► Selector de tono.
► Ventanilla transparente.
► Conmutador DX/Local.

Video Betamax C-80
► Mando a distancia con programador incluido.
► Congelación de imagen perfecta.
► Avance cuadro a cuadro de forma increíblemente precisa.
► Indicador de cinta disponible.
► Búsqueda rápida de imagen (Skip Scan).

Video Betamax C-20
► Controles de accionamiento suave.
► Búsqueda rápida de imagen (Skip Scan).
► Programación. 1 programa/7 días.
► Búsqueda de imagen (Picture Search).

Video Betamax C-9
► Congelación y avance cuadro a cuadro con imagen perfecta.
► Búsqueda de imagen (Picture Search).
► Posibilidad de doblaje audio e inserción de efectos especiales.

Cómo sacar el máximo partido del video

Antes de adquirir un video, debe plantearse las prestaciones que piensa obtener de él. Si lo quiere simplemente para grabar piense en la importancia de los temporizadores y programadores —vea por curiosidad el C-80—, y si lo que desea es disfrutar de un estupendo espectáculo, SONY le ofrece el mejor sonido con el Beta HI-FI y el nuevo Super Beta.
Si además Ud. quiere un Sony a precio económico el C-20, sin olvidarnos de los nuevos y estilizados F-30 y F-60 de sólo 8 cm. de altura.
Y para los que deseen prestaciones de tipo

profesional, SONY ha creado el C-9, un video de excepción con multitud de posibilidades. Diferente a los demás.
Pero, puede ser que, además quiera convertirse en realizador de sus producciones, hacer sus películas; para ello, SONY ha lanzado el video-8 que graba y reproduce a la vez con sonido HI-FI. Una cámara de prestaciones insólitas que vale la pena conocer.
Si lo que quiere, es grabar en directo sus más íntimos momentos familiares para recordarlos en imagen y sonido, vea la Betamovie de SONY.
En cualquier caso, SONY, tiene dentro del campo del video lo que Ud. precise, con la

calidad de imagen que sólo Betamax puede ofrecer.
Vea, oiga y elija, porque hay para escoger.

Sólo SONY ofrece el Skip Scan

Para ayudarle a localizar las escenas deseadas de su cinta de video de forma más rápida que nunca, Sony ha creado la nueva función SKIP SCAN que permite conmutar de forma instantánea, y simplemente pulsando un botón, desde el Avance Rápido o Rebobinado (30 veces la velocidad normal) a la velocidad de Búsqueda de Imagen (9 veces la velocidad normal) permitiendo una visión momentánea de la imagen.

2.

Hace un tiempo te compraste un monitor de video, con el que estás bastante contento.
Ahora te interesa una cámara. Mira este folleto para ver si ésta te puede ir bien para lo
que tú necesitas:

La mano que graba.

Venga a saludar a su Distribuidor Oficial SONY
y se encontrará con una sorpresa en sus manos: la
Handycam, la nueva cámara de bolsillo tan pequeña
y manejable que la llamamos «la mano que graba».
A partir del formato de cinta de 8 mm., SONY ha
creado esta pequeña maravilla: una mini-cámara de vídeo
que cabe en la palma de la mano, y es capaz de grabar lo que quiera, donde quiera.

**La videografía: desde el cumpleaños de esos enanos maravillosos
hasta el pez más grande jamás pescado...**

Con la Handycam SONY inventa la «Videografía»: la facilidad del más
simple aparato fotográfico, pero en vídeo. Esto es la Handycam.
Esto es la videografía: la grabación familiar al alcance de la mano.
Por fin una forma fácil y cómoda de revivir los buenos momentos de
la vida, la cámara ideal para «guardar» todo aquello que de verdad
nos importa: esa celebración inolvidable, unas vacaciones para recordar
o la fiesta que hace época.

Hasta un niño puede manejarla...

Además de su pequeño tamaño y ligereza que le permite llevarla a cualquier parte, la HANDYCAM
tiene una sorprendente facilidad de manejo: con una sola mano, solamente apretando el botón,
cualquiera puede grabar hasta tres horas de imágenes, con el mejor sonido y el mejor color.
Sencillamente, sin posibilidad de errores y utilizando
una cinta de vídeo de sólo 8 mm. tan pequeña
como un cassette de audio. ¿Qué más quiere?
¿Probarla? Venga esa mano.

– Enfoque de tres posiciones.
– Balance de blancos totalmente automático.
– Sensor de imagen CCD para bajas condiciones de iluminación.
– Autonomía de casi 80 min. por cada batería.
– Dimensiones mínimas (107 x 109 x 215 mm.).
– Peso de sólo 1 Kg. (sin incluir batería y cinta).

**Handycam
SONY**

Video **8**

Si Ud.
nos da
la mano...

Especificaciones CCD-M8E

Vídeo	
Sistema grabación vídeo:	FM con exploración helicoidal de dos cabezas giratorias
Señal de vídeo:	Color PAL, normas estándar CCIR
Velocidad de la cinta:	SP: 20.051 mm/seg. aprox.
	SP: 10.058 mm/seg. aprox.
Capacidad de grabación:	SP: 90 min. (P5-90)
	LP: 180 min. (P5-90)
Dispositivo videocaptador:	Sensor de imagen CCD
Objetivo:	F1.6 (f: 15 mm.)
Iluminación mínima:	25 lux
Gama iluminación:	25 a 100.000 lux
Balance de blancos:	Dos valores preestablecidos (3.200 ºK / 5.800 ºK)
Sistema enfoque:	Tres valores preestablecidos
Visor:	Óptico

Audio	
Sistema grabación audio:	FM con cabeza giratoria
Micrófono:	Micrófono de condensador electret

Generales	
Alimentación:	6.0 V CC
Consumo:	5.6 W
Autonomía con una sola batería	Aprox. 80 min.
Dimensiones:	107 x 109 x 215 mm (an/alt/prof)
	Incluyendo las partes y controles salientes
Peso:	1.0 Kg (sin incluir batería y cinta)

Diseño y especificaciones sujetos a cambios sin previo aviso.

Handycam
SONY
Video 8

Sony España, S.A. Sabino de Arana, 42-44. 08028 Barcelona. Tel.: (93) 330 65 51

Sony
le pone
una
Handycam.

Características de la cámara:

1. _____

2. _____

3. _____

¿Cómo funciona?

_____

¿Qué tamaño tiene?

_____

3.

Lee el artículo que habla de España y contesta si es verdad o mentira:

España es el tercer país del mundo en juegos y apuestas.

El dinero que se juegan cada año los españoles es igual al presupuesto destinado al paro y la sanidad juntos.

Las cifras que destinamos los españoles cada año a apuestas y juegos de azar, son astronómicas. Tan sólo Estados Unidos y Filipinas superan las cifras españolas.

Madrid, —España es el tercer país del mundo que más dinero se gasta en el juego. La crisis económica no sólo no ha frenado la pasión que muchos españoles sienten por el azar, sino que ha disparado la *loca* búsqueda de la riqueza.

En 1984 España se gastó cerca de dos billones y medio de pesetas entre casinos, bingos, loterías y otros juegos, lo que supone una cuarta parte del presupuesto total de Estado. Con lo que los españoles sacan de sus bolsillos para jugar se podría atender la suma de todos los gastos que generan el paro y la sanidad española.

Dentro de Europa, España es el país que más juega, a pesar de que la legalización del juego llegó más tarde. De acuerdo con estas cifras, se puede afirmar que cada español mayor de edad se gasta, en juegos de azar, una media de 40.000 pesetas al año. Cada día se *invierten*, por ejemplo, 350 millones de pesetas en los cupones de ciegos. Las máquinas tragaperras *"engullen"* 4000 millones diariamente y la jugada total de los casinos asciende a 215 millones al día.

Diez juegos

Pese a que la *luz verde* para el juego en España llegó en 1977, en estos momentos somos uno de los países que más clases de juegos tenemos autorizados. Frente a los cuatro o cinco tipos que prevalecen en el resto de Europa, España ha legalizado diez diferentes: máquinas tragaperras, bingos, cupón de ciegos, loterías clásica y primitiva, casinos, quiniela de fútbol, quiniela hípica, frontones y carreras de galgos. Fuera de nuestras fronteras prevalecen, especialmente, las máquinas, el *loto*, los casinos y las carreras de caballos. Estas últimas, que apenas tienen peso en nuestro país, gozan, sin embargo, de gran atracción en otros países como Francia e Inglaterra

La millonada que se juega en nuestro país da empleo a 300.000 personas, de las que 100.000 son invidentes. La organización de la lotería nacional da trabajo a cerca de 13.000 personas y las máquinas tragaperras complementan los ingresos de más 150.000 establecimientos hoteleros como bares, restaurantes y hoteles.

El "boom" de la máquina

De las distintas clases de juego que hay en España, las maquinas tragaperras son las que más dinero mueven a base de pequeñas jugadas de veinticinco pesetas. La falta de una normativa clara durante los primeros años ha hecho que, en estos momentos, funcionen 320.000 tragaperras legalizadas y cerca de 100.000 clandestinas. En este capítulo España es la primera de Europa. En Alemania, por ejemplo, hay sólo 240.000 tragaperras y en Inglaterra 170.000

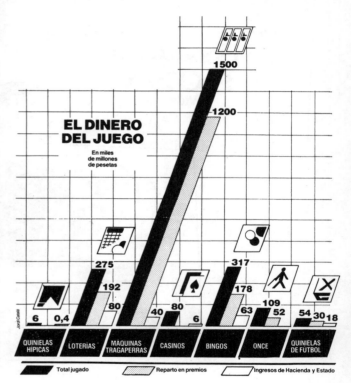

EL DINERO DEL JUEGO
En miles de millones de pesetas

Jordi Català

1500
1200
275
192
80
40
80
6
317
178
63
109
52
54 30 18
6 0,4

QUINIELAS HIPICAS · LOTERIAS · MAQUINAS TRAGAPERRAS · CASINOS · BINGOS · ONCE · QUINIELAS DE FUTBOL

■ Total jugado   ▨ Reparto en premios   ▢ Ingresos de Hacienda y Estado

En conjunto, de los dos billones y medio que jugamos los españoles, un billón y medio vuelve a nuestros bolsillos en forma de premios.

Desde el punto de vista del empresario, el juego más rentable es el de la ONCE, que no tiene ningún gravamen por parte de Hacienda.

En 1984, el juego dio a ganar a las arcas del Estado cerca de 2000 millones de pesetas. La lotería y el bingo son los más rentables para Hacienda, mientras que el dinero de las quinielas va directamente a organismos deportivos y diputaciones provinciales. Con la nueva lotería primi-

tiva el Estado espera ganar en 1986 45.000 millones, dado que las previsiones de ventas se sitúan en 130.000 millones, de los que el 34 por ciento irá a parar a Hacienda.

Desde el punto de vista geográfico, las provincias donde más se juega son las que disponen también de una renta per cápita más alta: Madrid, Barcelona, Valencia y Alicante destacan en bingos, lotería y máquinas tragaperras. Por casinos, el de Madrid es el que más juega, seguido en segundo lugar por el de Nueva Andalucía y por Barcelona (Sant Pere de Ribes) en tercer puesto.

	V	M

1. Los españoles gastan menos dinero en juegos y apuestas que los norteamericanos. ☐ ☐

2. Al aumentar la crisis económica, también ha aumentado el dinero que los españoles invierten en el juego. ☐ ☐

3. Si el dinero gastado en apuestas y juegos se gastara en el paro y en la sanidad, se podrían solucionar los dos problemas. ☐ ☐

4. Las máquinas tragaperras son las que más atraen y en las que los españoles se gastan más dinero por día. ☐ ☐

5. España tiene legalizadas más clases de juegos que el resto de Europa. ☐ ☐

6. Según el artículo, en Francia e Inglaterra las carreras de caballos gustan más que en España. ☐ ☐

7. 100.000 ciegos tienen trabajo gracias a las apuestas organizadas por la ONCE. ☐ ☐

8. Hay más máquinas tragaperras clandestinas que legalizadas. ☐ ☐

9. En Alemania hay más máquinas tragaperras que en España. ☐ ☐

10. Los españoles reciben en premios más de la mitad del dinero del que han gastado en juegos. ☐ ☐

11. El Estado recibe una parte del dinero de cada clase de juego, excepto de la ONCE y de las quinielas. ☐ ☐

12. Curiosamente, las ciudades más ricas son las que menos juegan. ☐ ☐

Ahora que ya conoces un poco la situación del juego en España, lee los artículos de los otros países y contesta a las preguntas:

En Italia aumenta el juego clandestino

Roma. –La pasión de los italianos por el juego, en forma de apuestas o lotería, es inmensa, como corresponde al país que inventó la quiniela futbolística. La cantidad de dinero jugada es incalculable, porque junto a los juegos legales están los clandestinos, mucho más atractivos para el público ya que la media de los premios es más sustanciosa.

En estos momentos, y debido precisamente a las apuestas clandestinas, la quiniela de fútbol –llamada aquí *totocalcio*– está en franca decadencia.

Las clandestinas suben

Por el contrario, la industria de las apuestas clandestinas está en gran expansión. Se calcula que a la semana los italianos juegan de esta forma 1500 millones de pesetas sólo en lo que al fútbol se refiere. Las apuestas no tienen reglas, sino que ofrece una amplia gama de posibilidades.

Se puede apostar por un solo partido, se pueden hacer combinaciones de dos o tres partidos o apostar por el número de goleadores en un único partido o el número de goles que marcarán la victoria de un equipo sobre otro.

Los caballos

El mundo de los caballos es también campo abonado. Además de las apuestas legales existen las clandestinas sobre carreras oficiales, incluso tienen lugar carreras totalmente clandestinas con apuestas naturalmente también clandestinas.

En Bélgica son muy "loteros"

Bruselas. –Los belgas son aficionados a la lotería, que se conoce como *loto*, pero no a las quinielas que desaparecieron hace unos meses, tras cinco años de existencia.

La lotería, sin embargo. fue creada en 1934 y en 1964. Tras distintas denominaciones relacionadas con la situación política del país, fue creada la lotería nacional, que en 1978 lanzó también el *loto*.

El único acertante de los seis números agraciados puede ganar hasta 45 millones de francos belgas; los de cinco, cuatro y tres, varían según las semanas pero los premios no suelen ser significativos.

En Francia estrenaron por fin las quinielas

París. –También Francia tiene una larga tradición de apuestas y juegos de azar de todo tipo. Una tradición que en los últimos años ha registrado un verdadero *boom* que culminó el pasado mes de septiembre con la aparición de la quiniela (lotodeportivo) que junto al *loto* (lotería primitiva) y el *tac o tac* (lotería tradicional con doble posibilidad de premio) está desbancando a la que se consideraba una verdadera institución francesa, las carreras de caballos.

Se calcula que alrededor de ocho millones de jugadores franceses apuestan regularmente para mejorar su suerte y la de la raza caballar.

Las carreras de caballos en Francia se celebran incluso varias veces por semana y están reguladas por el Estado y las Apuestas Mutuas.

El mayoritario

La palma del juego popular se la lleva, sin embargo, ahora el *loto* (lotería primitiva) al que participan semanalmente más de diez millones de jugadores de boletos a dos francos (cuarenta pesetas) la apuesta.

El juego consiste en acertar seis números que pueden valer millones.

Los británicos, tradicionales

Londres. –Los británicos tienen fama de ser gente dispuesta a apostar a la mínima oportunidad que se les presenta. Una fama bien merecida, puesto que los datos afirman que el 90 por ciento de la población adulta toma parte en juegos de azar o en apuestas en una u otra ocasión, y que el 40 por ciento lo hace más regularmente.

Los británicos apuestan anualmente por valor de unos 6000 millones de libras esterlinas (un billón 380.000 millones de pesetas) y esto sin tener en cuenta las máquinas tragaperras que proliferan en los *pubs* y otros lugares públicos.

Las quinielas futbolísticas **(las célebres pools)** y las apuestas en las carreras de caballos y de galgos constituyen, sin embargo, el juego nacional por excelencia. Parte del dinero se destina después a la mejora de las crías y a la investigación.

No hay lotería estatal

En el Reino Unido no existe sin embargo ninguna forma de lotería estatal entendida como tal, aunque la legislación permite a las autoridades locales y otros organismos la emisión de la loterías que, de hecho, pueden encontrarse en prácticamente todas las ciudades.

ITALIA:

1. ¿En Italia hay muchos juegos clandestinos? ¿Por qué?
2. ¿Cómo funciona la quiniela clandestina?
3. ¿Qué ha pasado con la quiniela de fútbol legal?
4. ¿Qué pasa con las quinielas de caballos?

FRANCIA:

1. ¿Cuál es, últimamente, el tipo de apuesta que más les gusta a los franceses? ¿Cuántos millones de jugadores participan?
2. Después, ¿cuál es el que más les interesa? ¿Cuántos millones de jugadores participan?
3. ¿Cómo funciona el loto?

BÉLGICA:

1. ¿Cuándo se creó la loto?
2. ¿Cómo funciona la loto en Bélgica?
3. ¿Cuánto puede ganar el que acierta seis números?
4. ¿Les gustan las quinielas a los belgas?

GRAN BRETAÑA:

1. ¿Cuántos ingleses participan regularmente en los juegos de azar y cuántos lo hacen de vez en cuando?
2. ¿Cuánto dinero suelen apostar al año?
3. ¿Qué juego o juegos son los que más les gustan a los ingleses?
4. ¿Qué se hace con el dinero? ¿Se reparte todo en premios o no?
5. ¿Hay lotería nacional? ¿Y local?

¿Por qué no comparas ahora estos países?:

- Hay juego clandestino. ¿En qué país o países hay más y en cuál o cuáles hay menos?
- Hay varios tipos de juegos. ¿En dónde se juega más a las carreras de caballos, el loto, las quinielas futbolísticas, la lotería nacional, etc.?
- Los juegos a veces se llaman igual pero funcionan de maneras diferentes. ¿Cuáles son las diferencias entre ellos?

4.

Lee este artículo aparecido en "El País" en noviembre de 1985. Luego lee el siguiente resumen para ver si dice lo mismo que el texto:

"En España se puede comprar con cheques (o talones) en pocos lugares porque en la mayoría de las tiendas creen que seguramente el comprador no tendrá dinero en su cuenta corriente. Es mejor pagar con tarjetas de crédito. Lo peor es que, cuando se quiere pagar con cheque, en las tiendas creen que el cliente quiere llevarse algo sin pagarlo."

Si tiene relación con el texto, busca en él y subraya, una por una, cada idea.

Talones

FELICIANO FIDALGO

Los cheques, en España, existen, pero son algo así como inmigrantes indocumentados; ya sé que esto es una costumbre, tan respetable como lo son todas esas *especias*. Vale. Gracias a esta *buena* costumbre, a mí, en el último mes, me han tratado de ladrón así como docena y media de veces. Eso sí, con discursos, caras y ademanes dignos de una ursulina de plástico: "Yo no lo digo por usted, pero lo corriente es que la gente te pague con un cheque, y vas y no tiene dinero en su cuenta corriente".

Y cada vez que me he estrellado de bruces ante un guarda jurado de la buena conducta social, se me ha consolado con sonrisas melodemagógicas al anunciarme que "no hay problema ninguno si usted paga con una Visa" o con alguno de esos rectangulitos homologados con la llamada *pela*. Lo que hasta el día de hoy nadie me ha pedido es que le regale un libro de Gustavo Adolfo Bécquer, del que, por si las moscas, merqué media docena en la reciente feria del libro antiguo.

5.

Te han instalado este modelo de teléfono en casa, pero hay varias cosas que funcionan mal. Has ido a Telefónica. Los técnicos han venido varias veccs a tu casa pero no lo han arreglado. Escribe una carta a la Dirección de Telefónica explicando lo que le pasa al teléfono, hablando de lo mucho que lo necesitas, pidiendo que lo arreglen pronto y aludiendo a lo que piensas hacer si no te lo arreglan inmediatamente.

COMO UTILIZAR SU "Benjamín"

DESCRIPCION DEL EQUIPO

BOTON DE TRANSFERENCIA

AURICULAR

TECLAS DE MARCACION

TÉCLA DE PAUSAS EN LA MARCACION

TECLA DE RELLAMADA

N° ABONADO

PILOTO LINEA

MICROFONO

GANCHO

TAPA

Telefónica

EL TELEFONO BENJAMIN, de avanzada tecnología electrónica, es un aparato que por su diseño de reducidas dimensiones y un solo módulo, así como su carácter de portátil, complementa y satisface las necesidades creadas en el campo de los teléfonos principales o supletorios.

COMO REALIZAR UNA LLAMADA

El descolgado se produce al abrir la tapa cuando se levanta el aparato. Se escucha en el auricular tono de invitación a marcar y se enciende el piloto indicador de línea. Componga el número deseado en el teclado de marcación.

CONVERSACION

Dirija su voz hacia la tapa para que sea capturada por el micrófono.

FIN DE CONVERSACION

Abatir la tapa hacia el teclado y reposar el aparato sobre base plana.

RELLAMADA (repetición del último número marcado)

La memorización del último número marcado por el equipo, permite su selección de nuevo, pulsando la tecla ⊞ , una vez recibido el tono de invitación a marcar.

En las llamadas internacionales, al estar sujetas a la recepción de segundos tonos, se procederá de la siguiente forma:

En llamada
DESCOLGAR → TONO DE INVITACION A MARCAR → MARCAR PREFIJO INTERNACIONAL → RECEPCION 2.º TONO → PULSAR TECLA ✳ → MARCAR N.º DESEADO → PULSAR ⊞

En rellamada
DESCOLGAR → TONO DE INVITACION → PULSAR ⊞ → RECEPCION 2.º TONO → PULSAR ⊞

RECEPCION DE LLAMADAS

Al coger el aparato, la tapa por su propio peso se abatirá, estando en este momento en situación de conversación.

CONEXION A CENTRALITAS Y SERVICIOS SUPLEMENTARIOS TELEFONICOS

El Benjamín dispone de un botón que permite cuando está conectado a una centralita la transferencia a otra extensión o en caso el acceso a los servicios suplementarios que ofrezca telefónica o la propia centralita.

RECOMENDACIONES

- Debe utilizarse para la limpieza del aparato un paño humedecido en agua o en su caso algún abrillantador.
- No utilizar elementos que puedan dañar el aparato (diluyentes, disolventes, herramientas cortantes, etc.).
- El teléfono deberá estar colocado sobre superficie plana para evitar su descolgado.

¿POR QUE NO DOTAR A UN TELEFONO TAN MANEJABLE DE MAS DE UN PUNTO DE CONEXION?

D. L.: M-2719-1985
GRAFOTEC, S. A.

6.

Lee este anuncio y contesta a las preguntas:

1. ¿Qué recomiendan?
2. ¿Qué diferencias hay entre Castilla y León y otros lugares?

7.

Completa usando qué o cuál:

1. ¿ _____ de estos relojes te gusta más? ¿El grande o el pequeño?

2. ¿ _____ prefieres? ¿Té o café?

3. ¿ _____ nos quedamos? ¿El rojo o el verde? Decide tú. A mí me gustan los dos.

4. ¿Y tú, Jorge, _____ coche tienes? Un Mercedes, ¿verdad?

5. ¿Usted qué cree? ¿ _____ de los dos consume menos electricidad?

6. ¿ _____ pantalones me pongo, Isabel? ¿Los azules o los blancos?

7. ¿ _____ te apetece para cenar? ¿Una tortilla o un filete?

8. No sé _____ elegir. Estos son más cómodos pero aquéllos son más bonitos, ¿no?

9. Oye, José, ¿te ha dicho Elisa _____ marca de coñac teníamos que comprar? Yo no tengo ni idea...

8.

Transforma las frases según el modelo:

> Esta máquina de escribir funciona muy bien, ya verás.

Ya verás lo bien que funciona esta máquina de escribir.

1. Tienen un jardín muy grande, ya verás.
2. Es un coche comodísimo, ya verán.
3. Es una novela divertidísima, ya verás.
4. Los Siles son una gente muy amable, ya veréis.
5. Id a ver el Parque Güell. Es muy original, ya veréis.
6. Te van a presentar a Isabel; es muy cursi, ya verás.
7. Manuel conduce muy rápido, ya verá.
8. El domingo lo pasaremos muy bien, ya verás.
9. En este restaurante se come muy bien, ya verán.
10. Es un lugar muy bien comunicado, ya verán.

9.

Transforma las frases y usa construcciones que expresen condición (gerundio, con tal de que, en caso de que, excepto que):

1. Si no me necesitan en el despacho, podré ir con ustedes al aeropuerto y seguramente no me necesitarán.

2. El médico le ha dicho que se tomara estas pastillas y, si no le hacen efecto, habrá de ponerse unas inyecciones.

3. Si lo cosieras a máquina, te quedaría mucho mejor.

4. Si lo viera antes del lunes, cosa que no creo, le podría invitar.

5. Ha decidido dejar de trabajar durante un par de años, si no cambia de opinión en el último momento, vamos.

6. Te presto la cámara si me prometes tratarla con mucho cuidado. Ya sabes lo cara que me ha costado.

7. Seguramente me voy a cambiar de casa. Bueno, si el dueño sigue insistiendo en aumentarme el alquiler.

8. Yo creo que éste es su número de teléfono... Si no se ha cambiado de casa últimamente...

9. Llámeme a la oficina a primera hora de la mañana. Casi siempre estoy pero, si no me encontrara, deje el recado a Rita, la secretaria.

10.

Dile a tu compañero que no es necesario que se moleste:

1. ● ¿Quieres que quite la mesa?

   ○ _____

2. ● ¿Hago las camas?

   ○ _____

3. ● ¿Quieres que acompañe a los niños al colegio?

   ○ _____

4. ● ¿Caliento la leche?

   ○ _____

5. ● ¿Se lo pago ahora?

   ○ _____

6. ● ¿Paso los apuntes a limpio?

   ○ _____

7. ● ¿Quieres que vaya a la farmacia?

   ○ _____

8. ● Si quieres, voy a tu casa a recogerte el sábado.

   ○ _____

9. ● ¿Y si llamo a Eugenia para avisarla?

   ○ _____

11.

Completa con los pronombres y los verbos adecuados:

1. ● No puedo invitarle a café porque no me queda. (ACABAR) _____ esta mañana.

2. ● Carmen, ¿por qué no llevas las gafas?

   ○ Porque (ROMPER) _____ ayer.

3. ● ¡Qué ruido! ¿Qué ha pasado?

   ○ Nada, nada. Es que he cogido una botella de vino y (CAER) _____ de las manos.

4. ● ¿Por qué vienes a pie? ¿No tenías que traer la moto?

   ○ Sí, pero (ESTROPEAR) _____ esta tarde al salir de casa.

5. ● Perdone, ¿podría prestarme un poco de aceite? (TERMINAR) _____ y, a estas horas, el supermercado estará cerrado.

6. ● He visto a Merche y está muy triste.

   ○ ¿Por qué?

   ● Porque hace dos o tres días el gato que tenía (ESCAPAR) _____

7.1.

MODELO: Va muy bien.
Ya verás qué bien va.

1. Va muy bien.
2. Es muy divertido.
3. Es muy tranquilo.
4. Funciona muy mal.
5. Se come muy bien aquí.
6. Es muy agradable.

7.2.

MODELO: estos dos
¿Cuál de estos dos me recomienda?

1. estos dos
2. los tres
3. ésos
4. estos tres
5. los dos

7.3.

MODELO: ésta / aquélla
¿Cuál es la diferencia entre ésta y aquélla?

1. ésta / aquélla
2. estos dos
3. ése / aquél
4. éstos / ésos
5. ésos / aquéllos

7.4.

MODELO: es de acero inoxidable
Éste es de acero inoxidable y el otro no.

1. es de acero inoxidable
2. está rebajado
3. es plegable
4. es portátil
5. es muy resistente
6. es italiano

7.5.

MODELO: barata
Ésta es la más barata.

1. barata
2. buenos
3. moderna
4. caros
5. antiguo

7. Lo que oyes

7.6.

> MODELO: Es un poco caro.
> Es un poco caro. ¿No le parece?

1. Es un poco caro.
2. Ha sido muy fácil.
3. Éste es el mejor.
4. Deberíamos llamarles.
5. El suyo es el más bonito.
6. Funciona perfectamente.

7.7.

> MODELO: ponerlo en marcha
> ¿Qué hay que hacer para ponerlo en marcha?

1. ponerlo en marcha
2. apagarlo
3. desmontarlo
4. abrirlo
5. pagarlo
6. quitar la tapa
7. enfocar

7.8.

> MODELO: chaqueta
> ¿De quién es esta chaqueta? ¿Es suya?

1. chaqueta
2. gafas de sol
3. paraguas
4. bolsa
5. cámara
6. llaves
7. periódico
8. encendedor

7.9.

> MODELO: vino
> ¿Qué vino me recomiendas?

1. vino
2. película
3. marca
4. postre
5. discoteca

7.10.

> MODELO: tener mucho trabajo
> Vendrá mañana, excepto que tenga mucho trabajo.

1. tener mucho trabajo
2. llegar Luis de Sevilla
3. haber huelga de controladores otra vez
4. no haber encontrado billetes
5. tener que ir a Milán
6. haber otra reunión con Suárez
7. encontrarse mal otra vez
8. seguir deprimido

7.11.

MODELO: Si lo haces despacio, te saldrá bien.
Haciéndolo despacio, te saldrá bien.

1. Si lo haces despacio, te saldrá bien.
2. Si lo coses con hilo blanco, no quedará bien.
3. Si hablas con ellos, todo se arreglará.
4. Si busca con calma, encontrará un buen piso.
5. Si tienes que hacerlo solo, será más difícil.
6. Si pones mucha cebolla, no te quedará bien.
7. Si fumas tanto, volverás a tener tos.
8. Si le echas un poco de coñac, sabe mejor.

7.12.

MODELO: No lo guardes.
Déjalo, déjalo. No hace falta que lo guardes.

1. No lo guardes.
2. No se lo lleves.
3. No lo limpies.
4. No lo saques.
5. No lo vuelvas a hacer.
6. No lo pases a máquina.

7.13.

MODELO: éste / más caro.
Éste es mucho más caro.

1. éste / más caro
2. éstos / más bonitos
3. éste / más práctico
4. ésta / más ligera
5. éstos / más cómodos
6. ésta / mejor
7. éste / mayor

7.14.

Escucha y repite:

1. Lo que tú quieras.
2. Cuando quieras.
3. Como quieras.
4. Las que Vd. quiera.
5. Adonde quieras.
6. Como Vd. quiera.

7.15.

Escucha y contesta a las preguntas:

1. ¿Se lo cambiarán en todos los casos?
2. ¿Por qué se van tan pronto?
3. ¿Se puede quedar a dormir?
4. ¿Por qué no pueden comer langosta hoy?
5. ¿Seguro que les llevarán los ordenadores?
6. ¿Seguro que los Muñoz van a ir al chalé de El Escorial este verano?
7. ¿Por qué utiliza la batidora para hacer una tortilla a la francesa?
8. ¿Podrán salir esta noche?
9. ¿Están completamente seguros de que Ramoncín se casará al día siguiente?
10. ¿Qué es mejor: diapositivas o papel?

MINI-ROBOTS EN FORMA

Para prolongar el buen funcionamiento y áspecto de los pequeños electrodomésticos de su cocina, nada como aplicar la «medicina preventiva». Es decir, cuidarlos mientras aún disfruten de buena salud. Aquí le proporcionamos un buen número de consejos y de trucos sencillos y eficaces. Sígalos y verá como sus mini-robots no le dejan nunca en la estacada.

Freidora: para purificar el aceite y que no queden posos, introduzca en él un papel de filtro cuando aún esté caliente. Espere a que se enfríe y retírelo con unas pinzas.

Picadora: después de picar carne, aclare las cuchillas con agua caliente y sumérjalas en agua y amoníaco. Si las cuchillas son fijas, ponga la picadora boca abajo en el recipiente de modo que no se moje el motor.

Batidora: si se quedan en las aspas o varillas restos de harina, pasta, etc. introdúzcala en un vaso con agua y detergente y bata durante unos minutos. Para darle brillo, hágala funcionar de vez en cuando en un recipiente con agua y vinagre.

Yogurtera: para evitar que los recipientes huelan mal, añada a un litro de agua dos cucharadas soperas de bicarbonato, viértalo en ellos, y déjelo durante quince minutos. Luego aclare a fondo.

Parrilla: no la limpie nunca con polvos abrasivos. En su lugar, caliente en ella, durante 10 minutos, unas cuantas cáscaras de patata; retírelas y frote con un paño de algodón. Las manchas de grasa resistentes se eliminan con media patata impregnada en vinagre.

Crepier y sandwichera: si quedan restos duros de masa o de pan, no los raspe con un cuchillo. Ponga un paño húmedo sobre ellos hasta que se ablanden, frote con un estropajo de esparto mojado en agua y amoníaco, y aclare con un paño de algodón húmedo.

Exprimidor: límpielo con agua y un cepillo. No use ningún detergente con olor, pues el plástico lo absorbe y lo transmite a los zumos.

Cortador de fiambres: introduzca, en un envase con pulverizador como el de los limpiacristales, una mezcla a partes iguales de alcohol y amoníaco. Aplique sobre el aparato, frote, aclare con un paño húmedo y seque con un trapo de algodón.

Cuchillo: si la hoja tiene restos de grasa acumulados, póngala a hervir en

agua y detergente. Seque a fondo con un trapo.

Plancha: cuando su suela esté sucia, ponga polvos abrasivos sobre un papel y «plánchelos» hasta que las manchas desaparezcan. Frote luego con un estropajo húmedo y seque. Otra solución: pase por el metal un cabo de vela con la plancha a temperatura intermedia; luego, frote a

fondo. Repita esta operación cuantas veces sea necesario.

Abrelatas: después de usarlo, se limpia la cuchilla con agua y detergente. Si quedan restos grasos, frote primero con un papel absorbente. Conviene que de vez en cuando cepille sus sistema de engranajes y que, una vez al mes, lo engrase con aceite de máquina de coser.

Cafetera eléctrica: para evitar que el recipiente de cristal pierda brillo, cada dos meses llénelo de agua y añada una gota de salfumán o aguafuerte. Espere cinco minutos, vacíe en el inodoro y aclare bien a fondo. Si el agua de la zona donde vive tiene mucha cal, aumente la cantidad de aguafuerte en dos o tres gotas. La base metálica se limpia con un paño húmedo.

Molinillo de café: en el caso de que lo utilice a diario, deberá limpiarlo una vez por semana. Se hace así: enjuáguelo con agua y bicarbonato y séquelo a fondo, especialmente las aspas.

Calefactor: para eliminar las manchas de la carcasa, frótela con un trapo empapado en tres partes de alcohol con una de agua. Elimine el polvo de las ranuras por donde sale el aire con un cepillo plano; de no hacerlo, olerá mal. Este sistema también sirve para limpiar los radiadores eléctricos.

Máquina de helados: para evitar olores en el recipiente, aplique el sistema de la yogurtera.

KALA-84

UNA SECCIÓN DE AILEEN SERRANO. REDACTA: CARMEN PLANCHUELO. ILUSTRA: RAFAEL GONZÁLEZ NEGRETE

Victor no respondió. Sobre la mesa, junto al desayuno, aun seguía la carta de color azul humo. Claudina dispuso convenientemente los nuevos leños que había traído. Luego miró al derredor, como por si faltase algo.

—¿Qué prefiere comer hoy? —dijo.

—Lo que le venga mejor.

—No, no ha de ser usted quien decida.

—Me da lo mismo.

—Bueno, pues ya pensaré algo...

Tomó el cántaro y dentro, al agitarlo, sonó el agua.

—Apenas queda —dijo marchándose—. Me lo llevo.

Víctor comió un poco de pan con tomate y bebió agua del grifo.

* * * *

—¡Vizcaíno!, —gritó.

—¡Hola! —dijo alegremente el hombre grande.

—Mira, vizcaíno, te presento a mi alférez de cuando la guerra. A mi alférez y a otro amigo que se llama no sé cómo.

El hombre grande se frotó la mano en el mandil antes de tendérsela, una mano pesada que, como consciente de su poder, más que estrechar, se dejó estrechar, pasiva y enorme.

—Pues mucho gusto.

—Encantado.

—Este es el sitio —anunció solemnemente Ciriaco— en el que se toman las mejores tapas de Barcelona.

—Tú lo sabrás —rió el hombre grande.

—Fíjate tú que iban por ahí, a la deriva, sin saber dónde meterse... Y yo que me los encuentro y que digo: dejadme a mí, sé dónde se toman las mejores tapas de Barcelona.

—¡Pues a ellas! ¿Qué será? Callos, caracoles, pulpitos, calamares, bacalao, alcachofas, gambas, sardinas, boquerones... —enumeró señalando con el dedo las cazuelas de barro alineadas a todo lo largo del mostrador.

—Callos, ¿no? —dijo Nacho.

—Pues tres de callos para empezar y una jarra de ese clarete que guardas para los amigos —dijo Ciriaco.

—¿Mucho picante?

—Tu dirás...

—¡Tres atómicas! —grito el hombre grande, asomándose al arco que comunicaba con la cocina.

Las mesas eran de pino blanco sin barnizar. Ciriaco se sentó frente a los otros dos, de espaldas a la sala.

—Para eso de las tapas —dijo— nadie como los vascos. Yo no como otra cosa, sólo alguna tapita al ir así, de tasqueo... No me tira el comer, ¿me entienden? Claro esto no quita que algún día haga una comida a base de bien... ¡Hombre! Tengo una idea: podríamos ir a un buen restorán esta noche. Yo conozco el mejor de Barcelona; bueno y barato.

—Estupendo, sí —dijo Nacho—. Sólo que hoy realmente...

—Nada, hombre, pues voy a tener el gusto de invitarles. Cenaremos pollo. En el mejor restorán de Barcelona. Nada de servilletas, tenedorcitos ni esa leche. Pollo y pollo bueno.

—Estupendo, estupendo. El próximo día cenaremos allí.

—Nada de otro día. Estas cosas se improvisan, es cuando todo sale mejor.

Luís Goytisolo, *Las afueras*

Madrid: Comparaciones

He podido asistir, en el curso de mi vida, a diversas discusiones y comparaciones apasionadas entre Barcelona y Madrid, pero lo que no he llegado nunca a comprender es lo que busca la gente discutiendo de estas cosas. Nada más absurdo, en efecto, que comparar dos grandes ciudades con el propósito de extraer alguna consecuencia. Todas las ciudades, en nuestra época, tienden a asemejarse, pero hoy la arquitectura, más que una consecuencia del gusto y el arte particular de un pueblo, es una consecuencia de fórmulas académicas y estas formas son en todas las escuelas aproximadamente iguales.

De cualquier forma, las diferencias entre Barcelona y Madrid son extraordinarias. Viniendo de Barcelona, lo que más sorprende de Madrid es encontrarse con una ciudad acabada de hacer, sin ningún vestigio antiguo, sin raíces en el pasado profundo. Madrid data realmente de Felipe II; en cambio, Barcelona hunde sus raíces en un pasado fabuloso y lejano. El traslado de Valladolid a Madrid de la capital de los Austrias destruyó, probablemente, los vestigios más importantes que habría podido tener esta ciu-

dad: destruyó los vestigios de la Morería. Es muy posible que, durante siglos, conviviesen en su espacio un barrio moro y un barrio cristiano.

Todavía hay otra importante diferencia: Barcelona ha sido una ciudad comercial de litoral. Madrid ha sido una ciudad cortesana y burocrática, basada en el feudalismo agrario, situada en la meseta. Ciertos conjuntos de Madrid tienen, a causa de la presencia de las dos familias europeas más importantes de la época moderna —los Habsburgo y los Borbones—, una distinción y una estética indudable. Barcelona, en cambio, es una cosa más sólida, más rugosa, más dura. En Madrid, si queréis, hay más tono y más filigrana. En Barcelona hay más tradición, más solidez y una gracia de otra índole.

Si quisiéramos tener la modestia de llegar a una conclusión, no podríamos menos de decir que lo que hay de irreducible en la comparación de una ciudad con otra es, ante todo, su sistema económico y social, que hace que vivan en dos estadios de civilización divergentes, sin sincronismo posible.

Josep Plá, *Madrid, 1921. Un dietario.*

¿Qué hacer en caso de guerra nuclear?

ANTES

1. Construya su nueva vivienda en centros alejados de zonas militares o industriales, preferiblemente en zonas montañosas.

2. Instale un refugio antinuclear en su casa. Hay varias compañías especializadas que pueden hacérselo.

3. Habilite el garaje, el sótano de su casa o una cueva cercana como refugio. Refuerce con sacos de tierra las paredes.

4. Prepare puertas y ventanas para poder clausurarlas herméticamente. No olvide instalar respiraderos con filtros para la contaminación nuclear.

5. Provéase de alimentos, agua y bebidas para un par de meses. Compre un botiquín, un medidor Geiger, una radio de transistores y un aparato de luz a gas o a pilas.

DURANTE

1. Es raro un ataque nuclear sin indicios previos. Al aparecer las primeras amenazas conecte la radio para que el CONEMRAD (Control de Emisiones Radioeléctricas) le mantenga informado de lo que ocurre.

2. En caso de alarma instálese rápidamente en su refugio, alejándose de las paredes. No lo abandone hasta cerciorarse de que el peligro de radiactividad ha desaparecido.

3. Si no puede llegar a tiempo al refugio, protéjase en un sótano, aparcamiento, estaciones del Metro o zona cubierta.

4. Si se ve sorprendido en la calle y no puede llegar a ningún sitio cubierto, busque refugio tras algún muro de hormigón. No mire a la explosión. Quedaría cegado temporalmente por la luz.

5. Una vez pasados los efectos inmediatos de la explosión aléjese de la zona afectada. Si su cuerpo ha recibido quemaduras o radiaciones acuda a un hospital.

6. Paradójicamente, los edificios mejor protegidos contra un ataque atómico son las centrales nucleares. Refúgiese, si puede, en una de ellas.

DESPUES

1. Posiblemente tendrá que vivir algún tiempo en su refugio. Intente acomodarse a las circunstancias y no salga al exterior sin tomar precauciones, ya que la lluvia radiactiva puede durar semanas.

2. Durante las incursiones al exterior, cúbrase con ropas todo el cuerpo. Al regresar, lávese con una solución anticontaminante o simplemente con agua y jabón. Deje esa ropa fuera del refugio, sobre todo, los zapatos.

3. Antes de consumir cualquier alimento o agua compruebe que no ha estado expuesto a la radiación. Ante la duda, consuma alimentos enlatados y beba agua de los pozos, si están bien tapados.

4. Siga atento a la radio para recibir instrucciones sobre posibles evacuaciones, trabajos de protección civil o reconstrucción.

8

¿Y CÓMO ACABÓ LA COSA?

Barcelona, 2 de Julio

CÁCERES 50

Cerca de Cáceres, 19 de Julio

8.

1.1.

¿Verdad o mentira?

		V	M
1. El Sr. Castro por lo general no trabaja por las tardes.		☐	☐
2. El día 25 va a ser lunes.		☐	☐
3. La chica del vestido naranja va a trabajar 24 horas por semana.		☐	☐
4. La reunión va a durar dos horas aproximadamente.		☐	☐
5. El de los sindicatos no va a ir mañana a su oficina.		☐	☐

1.2.

Identifica a los siguientes personajes:

- dos que han quedado para comer en un restaurante

- uno que está a punto de terminar el trabajo que está haciendo

- uno que antes salía más que ahora

- uno que llega tarde porque ha tenido problemas

- uno que está muy cansado porque ha dormido muy poco

1.

Acabas de leer todo esto en el periódico.
Contesta a las preguntas:

MADRUGAMOS MAS.

ADELANTAMOS
EL HORARIO DE CAJA A LAS 8,30

En Madrid, usted puede realizar todas las operaciones bancarias, desde las 8,30, en el Banco Central. Así el horario de Caja y de atención al público se adapta a su propio horario.

De 8,30 a la misma hora de cierre habitual, usted nos tiene siempre a su servicio.
Venga a vernos, desde ahora a partir de las 8,30

BC

BANCO CENTRAL
Su Banco amigo.

Aut. por el B. E. Nº 15.871

8.

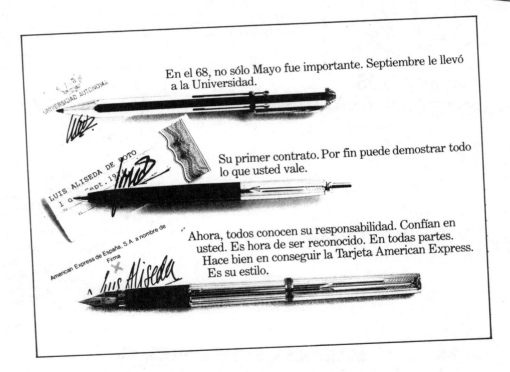

1. ¿Cuánto tiempo tardan los autobuses de Madrid a Oviedo? ¿Cada cuánto salen de Oviedo? ¿Cuántos autobuses salen cada día?
2. ¿Cuánto dura el programa "El dominical"? ¿Y la película?
3. ¿A qué hora crees que cierran la caja del Banco Central? ¿Cuándo la abren?
4. Según el anuncio, ¿cuándo nos damos cuenta de la libertad que nos da el tren?
5. ¿Cuándo sale a la venta la revista "Dunia"?
6. ¿Cuándo firmó su contrato Luis Aliseda? ¿Ya había ido a la Universidad? ¿Cuándo?
7. ¿Quién cumple años mañana? ¿Cuántos?

2.

Mira este esquema aparecido en un periódico español. Trata de explicar o explicarte cómo sucedieron los hechos:

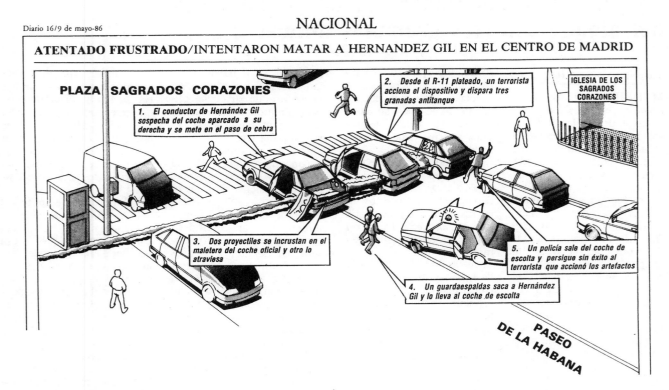

Diario 16/9 de mayo-86

NACIONAL

ATENTADO FRUSTRADO/INTENTARON MATAR A HERNANDEZ GIL EN EL CENTRO DE MADRID

PLAZA SAGRADOS CORAZONES

IGLESIA DE LOS SAGRADOS CORAZONES

1. El conductor de Hernández Gil sospecha del coche aparcado a su derecha y se mete en el paso de cebra

2. Desde el R-11 plateado, un terrorista acciona el dispositivo y dispara tres granadas antitanque

3. Dos proyectiles se incrustan en el maletero del coche oficial y otro lo atraviesa

4. Un guardaespaldas saca a Hernández Gil y lo lleva al coche de escolta

5. Un policía sale del coche de escolta y persigue sin éxito al terrorista que accionó los artefactos

PASEO DE LA HABANA

Ahora lee el resumen:

La precaución del chófer de Hernández Gil y el hecho de que las granadas antitanque no estallaran salvaron al presidente del Consejo General del Poder Judicial de caer abatido en el atentado terrorista. En la plaza de los Sagrados Corazones, esquina al paseo de La Habana, un coche con un artefacto esperó al vehículo oficial. Un terrorista accionó un disparador eléctrico y las granadas salieron disparadas para incrustarse en el maletero del coche de Hernández Gil.

Lugar del atentado

ESTADIO SANTIAGO BERNABEU

PADRE DAMIAN

P.º DE LA HABANA

AV. DE CONCHA ESPINA

PLAZA SAGRADOS CORAZONES

¿Se parece a lo que tú pensabas?

Sigue leyendo el artículo que explica "los hechos"

8.

Los artefactos fueron disparados desde un coche inmediato, parado ante un semáforo

El presidente del Poder Judicial resultó ileso del ataque con tres granadas anticarro

Victoria Lafora / D-16

MADRID.– *Antonio Hernández Gil,* presidente del Consejo del Poder Judicial, salvó milagrosamente la vida en un atentado que destrozó el capó de su vehículo a las dos y media de la tarde de ayer en la plaza de los Sagrados Corazones.

Tres granadas contracarros, disparadas desde un *Renault 11,* matrícula M-3601-GF atravesaron la chapa del maletero del *Opel Senator* en el que viajaba el presidente del Consejo del Poder Judicial, que momentos antes había abandonado la sede de este organismo.

Faltaban pocos minutos para las dos y media de la tarde cuando el chófer del coche oficial descendía por la calle paseo de La Habana y, al llegar al semáforo de la plaza, justo a la altura de la iglesia de los Sagrados Cora-

zones, vio aparcado en doble fila un vehículo que le despertó sospechas. En lugar de colocarse a su altura dejó el freno suelto y avanzó unos metros. Esta previsión les salvó la vida.

Segundos después se oyeron tres explosiones y el capó del *Opel Senator* quedaba destrozado por los impactos de dos de las granadas. *Hernández Gil* y el conductor abandonaron rápidamente el vehículo, ilesos, mientras la calle se llenaba de humo y de restos de carrocería.

Según un mando de la policía nacional, que acudió al lugar del atentado minutos después de ocurrir la explosión, las tres granadas fueron disparadas por un mecanismo de mando a distancia y el coche de los terroristas llevaba unos minutos en doble fila. Este policía aseguró a los periodistas que

Hernández Gil había resultado ileso al no estallar, en el interior de su coche oficial, ninguna de las granadas que atravesaron la carrocería del Opel.

Dos de las granadas quedaron incrustadas en la rueda de repuesto, dentro del portamaletas, y otra rozó el coche de escolta y fue a caer a la acera de enfrente, junto a un garaje. Una de ellas impactó en la parte trasera del *Senator* a escasos diez centímetros del respaldo del asiento posterior, justo donde iba sentado *Hernández Gil.*

El coche de escolta que le seguía se detuvo inmediatamente y los policías bajaron con las armas en las manos, mientras el presidente del Consejo del Poder Judicial y su conductor descendían del vehículo, envuelto en humo, por su propio pie y sin lesiones externas.

Hernández Gil fue trasladado a la residencia sanitaria La Paz y, al comprobar que se encontraba bien, a su domicilio. Mientras todas las calles adyacentes eran cortadas y se establecían controles de tráfico que fueron retirados una hora después.

Los porteros de las fincas del paseo de La Habana comentaban la afortunada coincidencia de que, a esa hora, todavía no habían salido los niños de los colegios de la zona, por lo que las aceras estaban prácticamente vacías. Un vecino, que estaba asomado a la ventana, en la acera de enfrente, pudo observarlo todo y fue él quien relató a la Policía cómo había visto a un hombre dejar el *Renault* plateado aparcado en doble fila. Inmediatamente los mandos le llevaron a Comisaría para tomarle declaración.

La cuarta autoridad del Estado

F. J. G.

El presidente del Tribunal Supremo y del Consejo General del Poder Judicial es la primera autoridad judicial de la nación; su categoría y honores son los correspondientes al titular de uno de los tres poderes del Estado. Así lo establece textualmente la ley orgánica del Poder Judicial que entró en vigor el pasado

verano.

La propia Constitución española reconoce al presidente del Consejo General del Poder Judicial como la cuarta autoridad del país, después del Jefe del Estado, del presidente del Gobierno y del titular de las Cortes, y por ese orden son contemplados en la suprema norma los títulos relativos a dichas instituciones.

Conforme a la ley que re-

gula el Poder Judicial, el presidente de su órgano de gobierno y del Tribunal Supremo es nombrado por el Rey a propuesta del Consejo General del Poder Judicial entre miembros de la carrera judicial o juristas de reconocida competencia, con más de quince años de antigüedad en su carrera o en el ejercicio de su profesión. La propuesta del Consejo General del Poder Judicial se

adoptará por mayoría de tres quintos de sus miembros en la propia sesión constitutiva del mismo.

El Consejo General del Poder Judicial se constituyó por vez primera en octubre de 1980, siendo su presidente *Federico Carlos Sainz de Robles Rodríguez,* sustituido a la expiración de su mandato en octubre pasado por *Antonio Hernández Gil* en medio de una polémica.

Y contesta a las preguntas:

1. ¿Cuánto tiempo faltaba para las dos y media de la tarde y que hacía en esos momentos el coche oficial?
2. ¿Cuándo vio el chófer un coche aparcado que no le gustó?
3. ¿Qué hizo entonces?
4. ¿Qué hizo el coche de escolta?
6. Mientras tanto, ¿qué hacía el presidente del Consejo del Poder Judicial?
7. ¿Qué pasó después?
8. ¿Qué comentaban los porteros del Paseo de la Habana?
9. ¿Qué dijo el vecino del balcón?
10. ¿Cuándo llevaron al vecino a la Comisaría de Policía y por qué?

Ahora lee este otro artículo, publicado en otro periódico:

Los terroristas habían colocado un mecanismo para disparar a distancia los artefactos situados en el maletero de un automóvil

El coche del presidente del poder judicial fue perforado por tres granadas

EL PAÍS, **Madrid**

Antonio Hernández Gil, presidente del Consejo General del Poder Judicial, resultó ileso en el atentado terrorista que sufrió ayer en Madrid cuando tres granadas anticarro colocadas en el maletero de un automóvil fueron disparadas a distancia y penetraron en el vehículo oficial, también por el maletero, pero no estallaron. El coche empleado por los terroristas había sido estacionado en doble fila para disparar las granadas cuando el vehículo de Hernández Gil estuviera a su altura. Uno de los tres artefactos penetró en el coche a pocos centímetros de la espalda del presidente del poder judicial. La policía atribuyó el atentado a ETA Militar.

Hernández Gil, que fue presidente de las primeras Cor-

tes democráticas, viajaba en el momento del atentado, a las 14.35, de la sede del Consejo General el Poder Judicial a su domicilio. La sede está situada en el número 140 del Paseo de La Habana, y el atentado se produjo frente al número 90 del paseo, en la confluencia con la plaza de los Sagrados Corazones, junto a la iglesia del mismo nombre, a unos 700 metros del edificio del consejo.

En el coche de Hernández Gil −un Opel *Senator* matrícula M-8919-FW−, viajaba un sargento de escolta de la Policía Nacional, además del conductor, José Fernández Sánchez. Por detrás, a escasa distancia, también viajaban en un automóvil varios escoltas del presidente del Poder Judicial. Al llegar a la plaza, el coche de Hernández Gil se detuvo

(Sigue en pág. 144)

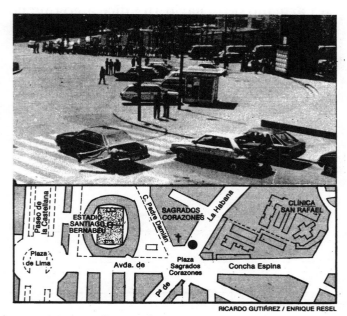

RICARDO GUTIÉRREZ / ENRIQUE RESEL

Nueva técnica terrorista.
El atentado de ayer fue realizado con una nueva técnica, consistente en disparar granadas anticarro instaladas en el interior de un coche, previamente perforado para la salida de los artefactos. La acción

ocurrió en el paseo de La Habana, junto al estadio Santiago Bernabéu. El coche de los terroristas había sido dejado en doble fila para forzar que a su lado se situara el de Hernández Gil.

8.

(Viene de la pág. 143)

ante el semáforo en rojo, momento en que el automóvil oficial quedó paralelo al de los terroristas.

En ese instante, y según el propio Fernández Sánchez, el conductor de otro R-11 situado tras el coche de Hernández Gil hizo ademán de situarse por delante, por lo que él adelantó el vehículo oficial poco más de un metro, para facilitarle la maniobra, momento en que se escuchó una explosión. Los ocupantes del coche oficial salieron del vehículo, los escoltas empuñaron sus armas y, siempre según el conductor de Hernández Gil, observaron a un joven que huía corriendo hacia el estadio Santiago Bernabéu, situado a escasos metros.

Hernández Gil, ileso como sus acompañantes, descendió del vehículo y, en el coche de los escoltas, fue llevado nuevamente a la sede del Consejo General del Poder Judicial. Después, tras un breve reconocimiento en la clínica La Paz, se trasladó a su domicilio. "No ha pasado nada. No ha pasado nada", decía uno de los escoltas cuando se alejaba con Hernández Gil.

El hecho de que Fernández Sánchez adelantara ligeramente el vehículo oficial hizo que las tres granadas penetraran en el coche de Hernández Gil por el maletero y no por la puerta trasera derecha. Dos de las granadas se incrustaron en la rueda de repuesto. La tercera traspasó el vehículo y quedó sobre el asfalto. Ninguno de los tres artefactos llegó a estallar y sólo se quemó su explosivo de proyección.

A la hora del atentado, la zona en que se produjo estaba muy concurrida tanto por vehículos como por transeúntes, pero ninguna persona resultó herida y sólo tres coches sufrieron escasos daños.

El País, *9 de mayo de 1986*

¿Dice lo mismo que el otro sobre:

– la hora del suceso
– los coches que viajaban
– la actitud del chófer de Hernández Gil
– la salida del presidente del Consejo del coche
– el lugar donde quedaron las granadas en el Opel Senator
– cómo estaba la zona donde sucedió el atentado?

Si no dice lo mismo, ¿cuáles son las diferencias?

¿El artículo de "Diario 16" dice algo que no diga "El País"? ¿Y al revés?:

"Diario 16"	*"El País"*
1.	1.
2.	2.
3.	3.
4.	4.
5.	5.

Vuelve a mirar ahora el esquema de antes. ¿Verdad que tienes más datos?

3.

Este texto tiene tres partes. Lee la primera:

Esta noche han empezado a darme unos calambres en el estómago. Luego comenzaron los vómitos. Teresa sintió los mismos síntomas un poco más tarde y ahora, a las 6 de la madrugada, estamos encendidos de fiebre. El niño duerme tranquilo. No cenó lo mismo que nosotros. Ni siquiera sabemos cómo pedir un médico. En este hotel sólo hablan alemán. Supongo que comprenderán que estamos enfermos pero, ¿a dónde nos llevarán?, ¿cuándo?, ¿qué nivel de cuidados médicos vamos a recibir?...¿qué será del niño?...

Hechos como este pueden ocurrir. Ocurren. Cada día. Problemas de enfermedad, accidentes robos y una multitud de incidentes de viaje. En todo el mundo y también en nuestro país. Veinticinco millones de poseedores de la Tarjeta Europ Assistance viaja cada año por los cinco continentes sin ese temor por lo desconocido y lejano que todos sentimos al emprender unas vacaciones o un viaje de negocios. Europ Assistance no es un seguro que se limite a pagar por algo que ya ha ocurrido. Europ Assistance es la primera, la inventora, la mayor y más experimentada de las compañías de asistencia. Europ Assistance actúa, paga, resuelve sobre el terreno, en el momento que está ocurriendo el contratiempo. Está con el viajero abonado y no le deja hasta que éste pueda seguir el viaje o haya sido repatriado a su lugar de origen.

No tenía fuerzas para levantarme. En la mesita de noche estaba mi billetero. Saqué la tarjeta de Europ Assistance, marqué el número de teléfono de Europ Assistance en España y con alegría escuché una voz que hablaba mi idioma: "Estoy en Frankfurt y me pasa esto...", dije, y minutos más tarde entraba en nuestra habitación un médico de Europ Assistance. Nuestra angustia había terminado. Fuimos internados en un excelente Hospital, el niño volvió a casa al día siguiente acompañado por una azafata especializada y nosotros fuimos repatriados cuatro días después en un avión sanitario. Supimos que el coche nos lo habían trasladado y guardado en el garage desde el primer momento.

Ahora contesta a las preguntas:

1. ¿Cuándo le han empezado los calambres? ¿Y los vómitos?
2. ¿Cuándo empezó a encontrarse mal Teresa?
3. ¿Qué tal está el niño? ¿Por qué?
4. ¿De qué tiene miedo el de los calambres?

8.

Mira ahora la tercera parte:

1. ¿Qué hizo?
2. ¿Qué dijo?
3. ¿Tardó mucho en llegar el médico?
4. ¿Qué pasó con el niño?
5. ¿Cómo volvieron a su país y cuándo?
6. ¿Qué había pasado antes?
7. ¿Y qué pasó con el coche?

Imagínate que todo esto te ha ocurrido a ti y a tu familia. Escribe una carta a unos amigos que te esperaban en Hamburgo para explicarles todo lo que os pasó y disculparos por no haber llamado ni avisado antes.

4.

Lee este trocito de una novela de Ramón J. Sender, un importante escritor contemporáneo:

Saltó a la lancha. Yo me senté en el suelo contra las piernas de mi hermana y el desconocido comenzó a remar con toda su fuerza, pero con un ritmo más lento que yo y no con los brazos sino echando todo el cuerpo atrás. Era mayor y más fuerte que yo, pero me daba beligerancia como si fuéramos de la misma edad. Mi hermana lo miraba con recelo. ¿Sería aquello correcto? Ella se entendía bien con los hombres de ventana a ventana y tal vez de un lado a otro del canal. Pero los dos en una barca, aunque estuviera yo por medio... El remador, al tiempo que remaba iba completando su presentación:

—Soy, como ya saben, Felipe Biescas y vivo en la calle de las Escuelas Pías. Mi padre tiene un comercio de telas y yo trabajo en él por las tardes. A mí me gusta levantarme pronto, al amanecer, en verano y en invierno. Y salir al campo. En invierno cuando hay nieve es muy agradable. Parece un paisaje polar. Vuelvo a casa al mediodía. Por la tarde trabajo en la tienda. Yo sólo vivo, lo que se dice vivir de veras, por las mañanas. A las doce con la última campanada del Pilar, se acabó. A la tienda. Entonces comienza la lucha por la vida. Una vara de percal, tres de terciopelo, siete de algodón para camisas de aldeanos, dos piezas de grano de oro. Retales a medio precio. Bueno, todo el repertorio. Ya ven. Mi padre no sabe más que comprar y vender. Ni pizca de esto —se tocaba la cabeza y volvía a coger el remo—. Buena persona.

—En la tienda sólo me encuentro a gusto cuando vienen campesinos. Sobre todo si visten de corto, a la antigua. Vienen muchos porque mi casa tiene telas especiales de pana y tercio-

pelo y millarete y trencillas, todas esas cosas que sólo emplean los campesinos de calzón corto. Mi padre no los quiere porque son molestos y cicateros, pero yo me entiendo bien con ellos. Viene una paleta de sayas anchas y medias blancas y le digo: ¿Qué desea usted? Una tela. ¿Qué tela? Una tela que esté bien pa basquiñas. ¿Qué clase de basquiñas? Así como de rocera pero de buen ver. ¿Cómo cuánto quiere gastar? Pues lo que sea razón así, entre *probes*. ¿De dónde es usted? De Zuera para servirle. ¿Es usted la tía de Benita? No señor, que la tía de Benita es más vieja que yo, dicho sea sin faltar. Yo soy la señora Vicenta la del Cojo. Entonces yo me quedo pensando y digo: Ya sé que quiere usted. Y digo a mi empleado: Trae una tela que esté bien para basquiñas tal como las gasta la señora Vicenta la del Cojo, de Zuera, de rocera pero de buen ver. Y el mozo trae un tela cualquiera de percal y la campesina la compra sin chistar. La doblez. Hay que tener doblez en el comercio. Yo con ellos me entiendo muy bien porque casi todos los domingos me voy de excursión a un pueblo u otro y sé cómo las gastan.

—¿Y qué hace usted en esos pueblos? —le preguntaba yo pensando que era más experto que él en cosas aldeanas.

—Entro en los juegos de los mozos. En unas partes juego a la pelota y en otras a las *birlas*. En los pueblos donde están en tiempo de ferias entro en las carreras pedestres.

Ramón J. Sender, *Crónica del alba*

¿Qué suele hacer Felipe Biescas y cuándo?

146

5.

Aquí tienes información de los acontecimientos más significativos, según este periódico, ocurridos en **1985** tanto en España como en el extranjero.
Tu profesor te ha pedido un pequeño informe sobre este tema para que aprendas a relacionar diferentes momentos del pasado, hablar de una fecha determinada, marcar el momento de inicio de una acción, etc. ¿Por qué no lo escribes tranquilamente?

8.

Transforma las frases usando antes de o antes de que **como en el modelo:**

> Isidro llegará a las nueve. Quiero tener la cena hecha antes.

> *Quiero tener la cena hecha antes de que llegue Isidro.*

1. El Sr. Martínez fue a la oficina el lunes. Yo estuve antes.

_____

2. Julián vendrá a buscarnos. Queremos terminar de ordenar esto antes.

_____

3. Se va a enterar. Yo quiero hablar personalmente con él antes.

_____

4. El coche va a estar en muy mal estado pronto. Prefiero venderlo antes.

_____

5. Este barrio va a ponerse de moda. Me gustaría comprar un piso antes.

_____

6. Voy a tomar una decisión pero quiero tener más información antes.

_____

7. Fui a buscar las entradas pero llamé antes para saber si quedaban.

_____

7.

Transforma las siguientes frases usando llevar... sin o llevar + gerundio:

1. Hace tres horas que hablan.

_____

2. No se han visto desde hace un par de años por lo menos.

_____

3. Hace una semana que no come nada.

_____

4. Hace varios meses que no trabaja.

_____

5. Te estoy esperando desde las cinco y ya son las siete y media. ¿Vienes o qué?

_____

6. Hace varios meses que no juego al fútbol. Debo estar muy desentrenado.

_____

7. Se enfadaron hace un año y desde entonces no se hablan.

_____

8.

Transforma las siguientes frases según el modelo, o sea, explicando primero lo que pasó más tarde y usando para ello el pluscuamperfecto:

Encontró trabajo y, luego, hizo la mili.

Cuando hizo la mili, ya había encontrado trabajo.

1. Nació la niña y, luego, se casaron.

2. Compró un chalé en las afueras para ellos y, luego, le regaló el apartamento a su hijo.

3. Rosa se fue sola y, luego, se fue su marido.

4. Los vecinos pudieron apagar el fuego y, luego, llegaron los bomberos.

5. El tren se puso en marcha y, luego, me di cuenta de que no tenía el billete.

6. Ella salió de la tienda y, luego, la dependienta vio que no le había dado el cambio.

8. Lo que oyes

8.1.

> MODELO: a la hora de cenar
> ¿Le va bien a la hora de cenar?

1. a la hora de cenar
2. a primera hora de la tarde
3. a eso de las diez
4. hacia las tres
5. a última hora de la mañana
6. a la hora de comer

8.2.

> MODELO: hacerlo
> ¿Cuánto tardará en hacerlo?

1. hacerlo
2. acabarlos
3. preparar la cena
4. ir y volver
5. llegar
6. arreglármelas

8.3.

> MODELO: la reunión
> ¿Cuánto duró la reunión?

1. la reunión
2. la guerra
3. el viaje
4. la operación
5. la huelga

8.4.

> MODELO: voy al supermercado/pones la mesa
> Mientras yo voy al supermercado, tú pones la mesa.

1. voy al supermercado/pones la mesa
2. termino esto/llamas a Ignacio
3. hablo de todo esto con la directora/vas a buscar a Luis
4. espero aquí a Julio/vas a comprar el periódico
5. escribo estas cartas/ordenas un poco el comedor

8.5.

> MODELO: Voy al supermercado y, mientras tanto, tú pones la mesa.

1. voy al supermercado/pones la mesa
2. termino esto/llamas a Ignacio
3. hablo de todo esto con la directora/vas a buscar a Luis
4. espero aquí a Julio/vas a comprar el periódico
5. escribo estas cartas/ordenas un poco el comedor.

8.6.
Repite:

1. Trabaja día sí, día no.
2. Viene un sábado sí y otro no.
3. Va cada cinco fines de semana.
4. Me llama dos veces por semana.
5. Trabaja de noche una semana sí y otra no.

8.7.

MODELO tomo café/ me siento mal
Cada vez que tomo café, me siento mal.

1. tomo café/ me siento mal
2. veo a Rovira/ me pongo de mal humor
3. viene él/ hay problemas
4. estamos todos juntos/ lo pasamos muy bien
5. juega al fútbol/ se hace daño

8.8.

MODELO: ir a dar un paseo
¿Y si fuéramos a dar un paseo?

1. ir a dar un paseo
2. llamar para reservar mesa
3. escribirle una postal a Maruja
4. invitar también a Elena
5. decírselo a Laura
6. discutirlo el miércoles
7. cenar por ahí

8.9.

MODELO: llegar tan tarde
Siento llegar tan tarde.

1. llegar tan tarde
2. no haber podido venir antes
3. no haberme acordado
4. no haber podido avisaros
5. haberme equivocado
6. haberme puesto tan nervioso

8.10.

MODELO: No le he llamado hasta ahora.
Perdone que no le haya llamado hasta ahora.

1. No le he llamado hasta ahora.
2. Le he hecho esperar.
3. No he venido antes.
4. No le he avisado.
5. No le he podido traer el documento que me había pedido.

8.11.

> MODELO: Los viernes viene a eso de las diez.
> · Los viernes suele venir a eso de las diez.

1. Los viernes viene a eso de las diez.
2. Los lunes llega muy temprano.
3. Los jueves se queda hasta muy tarde.
4. Los fines de semana se va fuera.
5. Por las tardes van a la piscina.
6. Los sábados duerme en casa de sus padres.
7. Va a Zaragoza día sí, día no.

8.12.

> MODELO: Ha llegado ahora mismo.
> Acaba de llegar.

1. Ha llegado ahora mismo.
2. Ha llamado ahora mismo.
3. Me lo ha explicado ahora mismo.
4. He recibido una carta tuya ahora mismo.
5. He hablado con ellos ahora mismo.
6. Se ha marchado ahora mismo.

8.13.

> MODELO: la boda
> ¿Falta mucho para la boda?

1. la boda
2. llegar a Madrid
3. tu cumpleaños
4. las fiestas del pueblo
5. el principio del curso

8.14.

> MODELO: los vi/ me acordé de que habíamos quedado
> En cuanto los vi, me acordé de que habíamos quedado.

1. los vi/ me acordé de que habíamos quedado
2. comió un poco/ empezó a sentirse mejor
3. vio el perro/ se puso a llorar
4. subí al tren/ me di cuenta de que había olvidado la bolsa
5. llegué a casa/ me acosté

8.15.

Escucha y contesta a las preguntas:

1. ¿Cuándo se volverán a ver?

_____

2. ¿Cuánto ha durado el viaje?

_____

3. ¿Cuánto les falta para llegar?

_____

4. ¿Cuándo tendrá las fotos?

_____

5. ¿Cuándo va al gimnasio?

_____

6. ¿Cuánto gana?

_____

7. ¿Cuándo no tenía miedo a nada?

_____

8. ¿Por qué ha estado despierta toda la noche?

_____

9. ¿Qué hacía mientras su mujer estaba en el cuarto de baño?

_____

10. ¿Cuándo tiene que llamar a la empresa?

_____

11. ¿Baja a la playa todos los días?

_____

12. ¿Por qué no molesta?

_____

13. ¿Cuándo se oyó la explosión?

_____

14. ¿En qué cae el 18?

_____

15. ¿A cuántos estamos hoy?

_____

S.O.S. LA RUTINA ATACA:
cómo salvar al amor

¡DIFÍCIL TÚ!

Hay quien dice que el amor, como los buenos vinos, mejora con los años. Verdadero o falso, lo seguro es que tiene que luchar día a día contra un enemigo que se llama rutina, capaz de aniquilar la ilusión, el misterio y la magia. La pelea entre el amor y el aburrimiento tendrá lugar, fatalmente en toda pareja. ¿Qué técnicas ayudan a ganar este combate?. Las que fomentan la fantasía y la generosidad, las que enriquecen la vida. Porque el milagro es posible: una pareja que permanece feliz y enamorada durante toda su vida en común. Todos tenemos un matrimo-

nio de amigos, en el que se nota que —después de veinte años de convivencia— cada uno es lo primero para el otro. Pero lo cierto es que, el amor tiene un principio y puede tener un fin. Y el aburrimiento es el camino más derecho para llegar rápidamente.

El caso de Lola y Fede

Para entender el tema, nada como estudiar un ejemplo real: el de Lola y Federico, sin ir más lejos. Ella, licenciada en clásicas; él, ingeniero de caminos. Al casarse lo tenía claro: ella sacaría sus oposiciones, él trabajaría en una buena empresa de obras públicas, pero solamente de ocho a tres. El resto sería idílico: cine, libros, amigos, viajes y amor mutuo a grandes dosis. El plan se torció un poco cuando a él le destinaron a Berlín. Lola, embazada y sin saber una jota de alemán, le siguió y pasó tres años redactando la tesina, cuidando del niño y haciéndose una experta en compra de alimentos precocinados. Al volver a casa les tocó Badajoz: allí Lola decidió no presentarse a las oposiciones, tuvo el segundo chico y se compró las primeras zapatillas para estar cómoda en casa. Por su parte Federico, el hombre que soñaba con llenar de regadíos los países desérticos del Tercer Mundo, se resignó a vender proyectos y discutir las fórmulas de pago, se descubrió en la cintura el primer michelín y decidió que dejaba de hacer jogging. Demasiado cansancio. Por su parte Lola se lanzó a un nuevo deporte: la canasta, y empezó a reclamar una cubertería de plata que sirviera para dar cenas aparentes. Cuando Federico preguntaba "¿qué estás leyendo?", ella no escondía el "Hola". Y si la esposa planteaba, con escaso interés, aquello de: "¿Me quieres, amor mío?", el marido contestaba bostezante: "Claro". En un último intento de reciclaje, Lola quiso hacer cursillos de bibliotecaria, pero él se lo quitó de la cabeza. ¿Sujetarse a un horario, a un contrato laboral? Qué tontería, con lo bien que estaban repartidas las funciones: él en el trabajo, ganando dinero; ella en casa, administrándolo. Un día Federico descubrió que en la casa no se ahorraba y riñeron por cuestión de gastos. Entre los trapos sucios, salió a relucir el hecho de que hacía tres meses que no se acostaban juntos: "Tú estás siempre cansado", atacó ella; "Y tú hecha una bruja", respondió él. Una semana más tarde, por casualidad, Federico descubrió que la esposa indiferente que le recibía en rulos, tenía una relación sentimental de tipo estable con un profesor del colegio del pequeño. Un tipo bajito con cara de poca cosa. Federico se sintió primero perplejo y después humillado, dolido, desamparado.

Fue una catarsis total. Primero se separaron. Luego se vieron para hablar del asunto y pusieron su convivenvia bajo la lupa: "Siempre cuentas los mismos chistes y te vistes igual que tu padre"; "Tú crees que después de García Márquez ya no se ha escrito nada"; "Me pones verde delante de tus amigas"; "Siento que no me deseas como antes"; "Me recibes como si fueras la puerca Cenicienta"; "Tus opiniones políticas son las de tu jefe"; "Tu idea del feminismo me hace reír"; "Dices que no apruebas el machismo, pero te aprovehas de él"; "Quién iba a decirme que reñiría contigo por dinero"; "Y a mí que tú llorarías ¡por una cubertería de plata de ley!"; "Me siento vieja y aburrida"; "Y a mí todo me ha fallado: hasta tú, que me engañaste con ese imbécil." Diez veces estuvieron a punto de reñir para siempre u otras tantas volvieron a sentarse a la mesa de negociaciones. Fue una noche agotadora, pero útil.

¿Qué nos ha pasado?

Dos meses después volvieron a reunirse y decidieron hacer una moneda con el antiguo sistema de vida: Lola se apuntó al cursillo de bibliotecaria y aparcó al profesor bajito definitivamente; suspendió los torneos de canasta y —con el importe de la cubertería de plata— pagó los billetes de un viaje a Bombay para dos personas. En cuanto a Federico, dejó el tema comercial para pasar al gabinete de estudios de su empresa: un poco menos de dinero y la misma cantidad de trabajo, sólo que mucho más apasionante. Acto seguido se quitó la corbata y la perdió para siempre. Renunciando también al traje gris, desenfadó su modo de vestir, comiendo menos, adelgazó más; al estar menos gordo se puso más guapo; y al recuperar la estética perdida, volvió a interesar a su distraída esposa. Por el camino de dar tensión a sus días, galvanizaron sus noches. Federico descubrió, con emoción, las maravillas del amor a la francesa y Lola reconoció, tras hacerse un poco de rogar, que el profesor de literatura estaba mucho peor dotado para los placeres físicos que su propio marido. Una declaración sinceramente hecha que puso un poco de pomada hemostática en las horribles heridas de ego de Federico.

El diagnóstico del caso es claro como el agua: quién se arrutina de día, se arrutina de noche. El que no pone ilusión y sobresalto en los actos pedestres de la existencia, se aburre. Los que se aburren a solas, se aburren en compañía. Y a las gentes aburridas no les duran las relaciones. En caso de relación amorosa y conyugal, todo este cuadro clínico se pone al rojo vivo.

—Sí, pero no podemos dormirnos aquí. Es una lata, pero tengo que dejarlo todo como antes...¡Si se enteran de qué! ¿Sabes lo que se me ocurre? Puedes quedarte a dormir en mi cuarto, luego a las siete o a las siete y media te largas, antes de que se levanten los niños.

—Sí, pero espera, espera ahora.

Y Eugenia, para que él no se duerma, sigue hablando:

—A veces me dan ganas de darle un corte y decirle de verdad lo que pienso, como el otro día que estaba yo terminando de preparar la cena para los niños y viene ella y se me sienta en la cocina y empieza con el rollo de que no quiere que yo desperdicie mi tiempo, porque, al fin y al cabo, no voy a quedarme, dice, sirviendo para toda la vida, que debería aprovechar para estudiar algo, que si las dos horas que tengo libre, que si la que estaba antes que yo se había hecho el bachillerato a distancia, que si ahora sólo quince años y todavía tenía tiempo y yo mientras ella iba hablando pensaba en cómo salir bien de aquélla porque ¡sólo me faltaba! después de lo derrengada que me quedo con todo el trabajo, dedicar las dos únicas horas que tengo libres a culturizarme y me inventé unos cursillos de corte y confección para que se quedara tranquila y luego, aprovechando que estaba allí sentada, pensé que sería bueno hablarle de ti, porque ellos, al fin y al cabo, conocen a todo dios, gentes de cine, de teatro, de política, gente con mucho dinero y entonces voy y le cuento que tengo un novio y que claro, pues, está sin trabajo y quiere independizarse de su casa y que a ver si ella o algún amigo suyo podía saber de cualquier cosa y ella se me pone entonces en plan locutora de TV y me suelta un lloriqueo sobre el paro y la droga y la delincuencia y yo me doy cuenta en seguida de que no coge onda e insisto y le digo: cualquier cosa, en una librería, en una editorial, paquetes, recados lo que sea y ella dice que sí, que sí, que en cuanto sepa algo y luego: "fíjate la cosa está dura, porque ahora realmente trabajo no hay" y yo le digo un trabajo de nada, de veinte o treinta mil pesetas al mes y ella me contesta que ésos son los más difíciles, que si estuvieras cualificado, si tuvieras un título, pero que así con sólo diecisiete años y sin ninguna experiencia y luego, de pronto se acordó de un amigo suyo, un tipo de Ibiza o de Menorca que tiene un pub por Malasaña, creo, y que a lo mejor necesita alguien para atender las mesas, así que, con un poco de suerte...

Lourdes Ortíz, *Arcángeles*

8. Al pie de la letra

Un día en la vida de la familia real

A las 8 de la mañana todo el mundo está en pie en el palacio de la Zarzuela, un palacete no muy grande situado en las afueras de Madrid, en el monte de El Pardo. A esa hora el Rey ha hecho incluso un poco de deporte, ha escuchado en la radio los informativos de la mañana, y el desayuno en familia se convierte ya en un cambio de impresiones sobre el programa del día de cada uno.

La infanta Elena sale hacia su escuela de Magisterio. La infanta Cristina, hacia la Complutense, a la facultad de Políticas. El príncipe Felipe hace ya dos horas que se ha levantado en Zaragoza, en la Academia General Militar.

A las 9, el rey Juan Carlos se encuentra en su despacho resolviendo los asuntos del día. Los miércoles tiene audiencias civiles. Los martes, audencias militares. Pero no hay tiempo para la rutina en la Casa Real. Siempre hay cuestiones que tratar, algún acto oficial, la entrevista con el presidente de Gobierno a principios de semana, la audiencia con algún ministro, la visita de algún dignatario extranjero.

La reina Sofía tiene su propio programa. Está muy dedicada a las cuestiones sociales, a despachar asuntos relacionados con educación especial, con problemas de minusválidos, con la adaptación a la vida sana y normal de aquellos que no son sanos ni normales. Preside una vez al trimestre una reunión sobre educación especial a la que asisten varios ministros del Gobierno; una reunión en la que doña Sofía toma notas, pregunta por asuntos concretos, por los temas que habían quedado por resolver en la reunión anterior.

Ansioso de ir rescatando el pasado palmo a palmo me fui solo a una hostelería en la parte alta de la ciudad donde la Ely y yo solíamos almorzar cuando éramos novios. El lugar era el mismo, al aire libre, con las mesas bajo los álamos y muchas flores desaforadas, pero daba la impresión de algo que hacía tiempo había dejado de ser. No había un alma. Tuve que protestar para que me atendieran, y tardaron casi una hora para servirme un buen pedazo de carne asada. Estaba a punto de terminar cuando entró una pareja que no veía desde que la Ely y yo éramos clientes asiduos. Él se llamaba Ernesto, más conocido como *Neto,* y ella se llamaba Elvira. Tenía un negocio sombrío a pocas cuadras de allí, en el cual vendían estampas y medallas de santos, camándulas y relicarios, ornamentos fúnebres. Pero no se parecían a su negocio, pues eran de genio burlón e ingenio fácil, y algunos sábados de buen tiempo solíamos quedarnos allí hasta muy tarde bebiendo vino y jugando a las barajas. Al verlos entrar cogidos de la mano, como siempre, no sólo me sorprendió su fidelidad al mismo sitio después de tantos cambios en el mundo, sino que me impresionó cuánto habían envejecido. No los recordaba como un matrimono convencional, sino más bien como dos novios tardíos, entusiastas y ágiles, y ahora me parecieron dos ancianos gordos y mustios. Fue como un espejo en el que vi de pronto mi propia vejez. Si ellos me hubieran reconocido me habrían visto sin duda con el mismo estupor, pero me protegió la escafandra de uruguayo rico. Comieron en una mesa cercana, conversando en voz alta, pero ya sin los ímpetus de otros tiempos, y en ocasiones me miraban con curiosidad y sin la menor sospecha de que alguna vez habíamos sido felices en la misma mesa. Sólo en aquel momento tuve conciencia de cuán largos y devastadores eran los años del exilio. Y no sólo para los que nos fuimos, como lo creía hasta entonces, sino también para ellos: los que se quedaron.

Gabriel García Márquez,
La aventura de Miguel Littín clandestino en Chile

El almuerzo (a las 14,30) suele ser familiar, y últimamente se ha incorporado a los programas de presidentes y reyes extranjeros un almuerzo privado con los Reyes el día de la llegada a España, por lo que a veces la intimidad familiar se rompe con esas visitas de Estado. La tarde la dedica don Juan Carlos a asuntos *más de la casa*, sin audiencias, sin horario, con citas importantes. Es por la tarde cuando se reúne más tiempo con sus colaboradores, recibe a personalidades que no aparecen en las listas de audiencias oficiales, comenta la actualidad nacional e internacional. Son horas muy activas, pero sin estar sometidas al reloj.

El rey aprovecha incluso la caída de la tarde para el deporte al aire libre, jugar una partida de *squash* o hacer *footing* por los alrededores de la Zarzuela. Es también por la tarde cuando suele citar a los amigos, o a la familia, con la que tanto el Rey como la Reina se sienten muy unidos y mantienen un contacto muy directo y permanente.

La cena (21 h.), excepto cuando hay alguna visita oficial, es la hora en la que más hablan los Reyes con sus hijas, comentan las incidencias del día, las noticias de la universidad, de los periódicos. Se ve la televisión, se lee algún libro, se charla. La vida en la Zarzuela es la vida de una familia española más. Pero con obligaciones de Jefe de Estado.

INDIA Y AMÉRICA LATINA: DIÁLOGO DE CULTURAS

El escritor mexicano narra en estas páginas sus recuerdos sobre la India, país en el que fue embajador durante seis años. La reflexión autobiográfica le permite analizar las referencias comunes con América Latina en un estilo brillante y erudito.

Texto: Octavio Paz
Fotos: Alberto Schommer

El choque de civilizaciones en América Latina produjo un resultado distinto al de la India: no la coexistencia, sino la sustitución de las antiguas culturas por esa versión peculiar de la civilización de Occidente que encarnan los españoles y los portugueses. He dicho varias veces que somos una proyección excéntrica de la civilización de Occidente. También lo son Estados Unidos y Canadá; pero nosotros somos doblemente excéntricos. En primer término, porque nacimos a la vida histórica universal en el momento en que España y Portugal se cerraban ante la modernidad naciente. Entiendo por *modernidad* ese movimiento que se inicia con el Renacimiento y al que España y Portugal contribuyeron decisivamente, en sus comienzos, con sus descubrimientos y conquistas y al que después negaron. De ahí que nuestra relación con el Occidente moderno haya sido, desde el principio, a un tiempo filial y polémica: somos su retoño y su excepción. A veces, también su escándalo y, otras, su réplica. Además, somos excénticos porque somos y no somos occidentales. Naturalmente, el curso de aquellos países en los que predomina la población de origen europeo, como Argentina y Uruguay, es distinto; sin embargo, allá también el espacio físico y la historia han modificado y cambiado la herencia europea.

En otras naciones la influencia negra y, sobre todo, la indígena ha sido profunda y con frecuencia determinante. Los peruanos, los bolivianos, los guatemaltecos, los mexicanos y otros pueblos tenemos dos lealtades y dos pasados: negar

(Sigue en pág. 158)

8. Al pie de la letra

(Viene de la pág. 157)

a uno de ellos sería negar a la mitad de nuestro ser. La influencia indígena en México no aparece en las instituciones sino en la sensibilidad. Es una presencia secreta que aflora en los momentos cruciales. Más que una presencia, es un interlocutor. Conversar con él es conversar con nosotros mismos.

Un vistazo a la historia moderna de la India y de América Latina es todavía más ilustrativo. Cuando se piensa en el imperio español de América sorprende la vastedad del territorio y el número y la diversidad de pueblos que comprendía. La inmensidad de las distancias, la heterogeneidad de las poblaciones y la lentitud y dificultad de las comunicaciones no impidieron ni un gobierno en general pacífico ni la armonía entre las distintas regiones y grupos étnicos. A principios del siglo XIX los reinos y las provincias que componían el imperio se alzaron contra la dominación de Madrid. A diferencia de lo que ocurrió en la India, la lucha se convirtió en una larga guerra. De ahí que, a diferencia también de la India, una vez consumada la independencia, haya aparecido un gremio, el militar, con ambiciones políticas y decidido a imponer sus ideas por la fuerza. las guerras de independencia fueron semilleros de caudillos. Con ello comenzó esa enfermedad endémica de nuestras sociedades, el militarismo y sus secuelas: golpes de Estado, alzamientos, guerras civiles.

El movimiento de independencia estuvo inspirado por las ideas de la época y por las revoluciones de Francia y de Estados Unidos. Respondía a una vasta, aunque no siempre clara, aspiración hacia la modernización de nuestras sociedades por medio de una reforma social, política, cultural y económica. Una parte central de ese proyecto era el establecimiento de instituciones republicanas y democráticas. Se pensaba que, al cambiar las leyes, cambiarían las realidades sociales, las actitudes y la conciencia pública. No fue así, las causas de este fracaso son complejas y no puedo tratarlas ahora. Me he ocupado del asunto en otras ocasiones y aquí me limitaré únicamente a señalar uno de los resultados de la independencia: la súbita aparición de 20 países (si contamos a Puerto Rico) sobre los territorios dominados por España y Portugal. Entre ellos, 19 hablan en español, y uno, Brasil, en portugués. Fue la única nación que ganó la independencia sin combatir y sin disgregarse. En cuanto a las repúblicas latinoamericanas: las ambiciones de los caudillos, los intereses de las oligarquías locales, los fanatismos conservadores, el regionalismo miope y la intromisión de poderes extraños consumaron la desmembración de nuestros países. Era natural que un cuerpo tan grande como el del imperio español, hecho de tantos grupos disímiles y alejados entre sí, se dividiese; no era fatal la disgregación en tantas repúblicas. Algunas entre ellas no poseen discernible fisonomía nacional ni son viables como entidades políticas y económicas. La atomización de la América Central y de las Antillas ha convertido a esas regiones en teatro de operaciones de las grandes potencias. El movimiento que nos liberó también nos desunió. Así quebrantó nuestra capacidad para sobrevivir con independencia.

El poeta y ensayista mexicano Octavio Paz declaró, con motivo de la concesión del Premio Cervantes de Literatura 1981, concedido por el Ministerio de Cultura y dotado entonces con 10 millones de pesetas: "He tratado de introducir en México y en América Latina el pensamiento crítico. Hay que reintroducir en nuestra cultura la discusión filosófica, el debate".

Nacido en la ciudad de México el 31 de marzo de 1914, Paz acumuló una amplia formación universitaria que canalizó hacia el ejercicio de la diplomacia y trabajó en diversas embajadas: Japón, Francia y la India. Fue precisamente en este país, en 1968, cuando tomó la determinación de abandonar su actividad profesional para dedicarse a lo que él llama *política marginal* y en señal de protesta por la matanza de estudiantes en Tlatelolco.

La obra de Paz tiene tres vertientes básicas: la poesía, el ensayo humanístico y la crítica literaria, que casi siempre suele situar en un contexto histórico. Según el escritor, "mi pasión es la poesía y mi ocupación es la literatura", pasión que convierte en "una tentativa de asimilar ciertas formas de la poesía precolombina", ocupación que le ha hecho publicar ensayos como *El laberinto de la soledad* (1950), *El arco y la lira* (1956), *Las peras del olmo* (1957), *Puertas al campo* (1966), *Corriente alterna* (1967), *Los hijos del limo* (1974), *El ogro filantrópico* (1974), *El mono gramático* (1974), así como *No pasarán* y *1936*, estas últimas dedicadas a la guerra civil española.

En poesía, *Libertad bajo palabra* (1958), *Salamandra* (1962), *Ladera Este* (1969) y *Vuelta* (1976) constituyen hoy el volumen completo de sus *Poemas (1935-1979)*, editado por Seix Barral.

El País, *31 de Agosto de 1986*

9

¿TÚ POR AQUÍ?

1.1.

Por lo que dicen los personajes di qué es lo que sabemos de:

Fernando _____

Adolfo _____

Iñaki _____

Lucas _____

el chico de Zaragoza _____

1.2.

Identifica a las personas que están en las fiestas del pueblo:

1. Dos hace tiempo que no se ven.

2. Una echa de menos a alguien.

3. Una ha creído reconocer a un amigo.

4. Dos se parecen en el carácter.

5. Alguien celebra su santo.

6. Otra ha ido a la peluquería y está muy guapa.

7. Dos hacían deporte juntas.

8. Unas tienen que cortar una conversación.

9. Alguien invita a otra a tomar algo.

10. Unas personas esperan a alguien.

11. Alguien pide a otra que la trate de tú.

12. Una no recuerda algo.

13. Otra ha llegado tarde a una cita.

14. Alguien es más joven de lo que parece.

1.

Lee este texto:

EL CLÁSICO

Busca la seguridad que precisan sus relaciones personales y laborales refugiándose en lo conocido o acudiendo a los cánones de elegancia más comunmente aceptados. Por ello, haciendo honor a su lema "lo bueno es bonito-", el hombre clásico en el vestir es también el menos arriesgado en sus elecciones y no por tener menos criterio que los demás, sino porque le interesan menos los cambios constantes en las tendencias y prefiere la calidad a la aventura.

COSTUMBRES

Hablar de la "movida" como un auténtico experto, jugar al golf, alarmar a sus hijos con el riesgo de las enfermedades contagiosas, fumar negro emboquillado, ser galante con las mujeres, juguetear con las llaves del Volvo o el BMW, no beber entre horas y respetar las mismas asignando a cada una su licor, con especial predilección por el vermouth blanco y el whisky escocés, conservador en política...

El hombre clásico se cree a pies juntillas los horóscopos del periódico y hace de ellos oráculo que guía viajes y negocios. Paradójicamente es el tipo humano que lleva una vida más agitada y, tal vez por eso, acude al equilibrio de las formas. Es un hombre de negocios, un abogado de gran reputación o un alto ejecutivo. De ahí que no tenga tiempo para nada y sea normalmente su mujer, como en otro tiempo fue su madre, quien elige su atuendo, segura de no equivocarse, al conocer sus gustos sin margen de error posible.

GUSTOS Y DEBILIDADES

Concede extrema importancia a su presencia personal, consciente de la importancia de la imagen. Precedido de un suave aroma a colonia de Armani, aparece rutilante enfundado en su prenda favorita: el traje. Ha de contar, al menos, con cuatro equipos: mañana, tarde, fiesta e informal. Marrón claro, gris marengo, "smoking" clásico y conjunto de "blazer", y pantalones variables con camisa abierta y pañuelo. Su debilidad son los bolígrafos, relojes y artículos de lujo en oro y piel. Rolex, Dupont, Loewe y Fendi.

EL DEPORTIVO

Le atrae la velocidad sobre una moto o unos esquís. Y no porque tenga una prisa especial, sino porque está en perpetuo reto consigo mismo. Necesita superar sus marcas. La velocidad es el certificado de que está vivo.

Cuando empieza a cumplir años, conserva la afición a los jerseys de rombos y los mocasines burdeos. Es el señor de pelo blanco y tez morena que cabalga lentamente por la ciudad con un Kawasaki o una Laverda de gran cilindrada.

COSTUMBRES

Es el más "sanote" de los tipos. Su deportividad llevada al extremo, la seguirá en el campo del amor, donde juega limpio y sin trampa ni cartón. Sabe perder, aunque lucha por ganar con todas sus fuerzas.

El genuino deportivo es un eterno adolescente, cargado de ilusiones y buena voluntad. Algo bruto y aturullado, es sin embargo, el amigo más fiel. Ni tiene prejuicios, porque la afición común une en torno al deporte, y pasa el tiempo ejercitando el "mens sana in corpore sano".

Frecuenta estaciones de esquí, practica el squash, y cuando se hace "maduro" se pasa al montañismo y la pesca. Le divierte moderadamente el fútbol, pero prefiere los deportes más reducidos, donde el individuo se enfrenta con la victora o la derrota, como en las carreras de motos y tenis. Comparte su vida entre una profesión liberal y los fines de semana en la sierra. No le cuesta madrugar.

GUSTOS Y DEBILIDADES

Su anclaje en la adolescencia le conserva una fuerte inclinación hacia los polos de todos los colores, Lacoste, Fred Perry, Burrberrys o Three Hills. Según edad y situaciones, elegirá cazadoras Ernest Gascón a cuadros o vaqueras con forro, chaquetas "tweed", también a cuadros, en tonos verdes, loden o pardos.

En pantalones comienza a atreverse con los de espiguilla gorda, y tiene predilección por la lana gruesa en calcetines. Los guantes clásicos de piel forrados de cabritilla, los jerseys en tonos amarillo pálido y las camisas de cuadros pequeños o rayas completan su atuendo cotidiano, rematado de corbatas sencillas. Ha abandonado el abrigo, pero siempre lleva sólidos zapatos Camper.

EL PRÁCTICO

Su tema es "lo caro es barato", y están a la última en cuanto a aparatos y herramientas modernas. Valoran sobre todo lo resistente, lo duradero, y llegan a amar los objetos que les dan buen resultado. Son "manitas", locos por el motor, aficionados al bricolage o artistas plásticos acostumbrados a mancharse. La atención que el diseño presta progresivamente a los útiles de trabajo casero o de taller abre las puertas del consumo para estos hombres de gustos sencillos y marcada tendencia a apreciar "lo auténtico".

COSTUMBRES

Esta mezcla de inventor, artista y mecánico es un hombre de hábitos imprevisibles, sobre los que predomina un desprecio del tiempo en el sentido que le dan los demás humanos. Puede estar noches enteras revisando el motor de un coche antiguo y pasar así los meses hasta ser recompensado con el premio a su habilidad. También le llevará tiempo su emisora de radioaficionado, construida por él mismo. Es un hombre que se lo fabrica todo. Una pareja ideal para cualquier mujer poco mañosa. Contará, inevitablemente, con un espacio en su propia casa lleno de cachivaches, o con un estudio de fotografía, pintura o escultura. No se aburre nunca, porque siempre descubre un grifo que no cierra, una puerta que pintar o incluso pequeñas obras de reforma que precisen cemento y ladrillos. Práctico y funcional, toma decisiones rápidas en la vida cotidiana, y es enormemente ordenado, a pesar del caos aparente que le rodea. Es amigo de la conversación sobre sus obsesiones y respeta la opinión ajena, aunque siempre acaba haciendo su santa voluntad. Fuma moderadamente y sólo bebe para calentarse en las noches de dura labor.

GUSTOS Y DEBILIDADES

Es un purista que sólo se fija en lo fundamental, por lo que tendrá una variada gama de camisetas de distinto grosor y utilidad. No le gusta tener mucha ropa, sino resistente y de calidad, sin reparar en el precio. Serán prendas sencillas con valor estético. Amante del cuero, tiene permanentemente una cazadora negra o marrón oscura, que sólo sustituye cuando está en

(Sigue en pág. 162)

(Viene de la pág. 161

un estado lamentable de decrepitud, porque es como una fiel compañera de andanzas. Si tiene forro de piel, despreciará lo sintético y elegirá el "mouton".

En pantalones siente verdadera debilidad por los bolsillos y apliques para llevar herramientas. Le gusta que tengan muchas cremalleras y compartimentos. Como tejidos, el algodón primará sobre los demás por su resistencia.

Son también muy importantes las camisas de vilella y paño a grandes cuadros de leñador. Pero la prenda que le caracteriza más es el pullover. En tonos intensos de verde y azul, la lana pura y de gran grosor le apasiona, porque el sentido del "sweater" es ése, dar calor. Para el trabajo en interiores elegirá zapatos abotinados con suelas fuertes de goma o botas de montañismo.

Este arquetipo tiende a confundir interior con exterior, fiado de la calidad de su indumentaria, por lo que rara vez se ve obligado a cambiarse. En todo caso, sustituir las botas por zapatones no menos resistentes y cambiar la zamarra por una chaqueta de pana.

Siempre se tienen que transportar muchas cosas, por lo que posee una surtida colección de bolsas de gran tamaño y de probada calidad.

Su coche favorito corresponde a los mismos criterios y elige furgonetas o jeeps deportivos Nissan y Rover.

EL POST-MODERNO

COSTUMBRES

Ayer fue moderno, hoy es posmoderno, y mañana será lo que toque, transmoderno, retrorromántico o futurista.

Entre sus costumbres no se cuenta la de leer, así que aceptará la etiqueta sin saber quien es Lyotard o Baudrillard. Es más bien audiovisual. Cuando monta su casa lo primero que le preocupa es el lugar para instalar una cadena de sonido que le valdrá periódicas reprimendas de vecinos y municipales. De todos modos no es la casa lo que le preocupa, ya que no recibe nunca. Come fuera, cena fuera, duerme poco, y sólo la tiene como armario y vaciadero de cientos de objetos inútiles que se acumulan a su alrededor sin que lo pueda evitar.

Es aficionado al movimiento y al cambio constantes como motor de su existencia, así como a las sensaciones fuertes, de modo que no se pierde su concierto de rock semanal (el rock en la forma que corresponda) ni las películas futuristas llenas de efectos especiales.

Cuando vuelve al "hogar", alrededor de las cinco de la mañana, pone en el vídeo una de vaqueros o "clips" musicales, y se suele quedar dormido con la ropa puesta, hasta las tres de la tarde siguiente.

Es una persona sin amigos, pero con cientos de conocidos. Cambia de discoteca cada tres meses y de pareja por el estilo. Sin embargo, seamos justos, tiene sensibilidad. Vive los dramas pasionales como en el cine,... va a las exposiciones de moda para ser visto.

Es el tipo más vacío y más ignorante, pero también el más divertido y el más abierto. Si no tiene la vida resuelta se hace relaciones públicas o trabaja en moda.

GUSTOS Y DEBILIDADES

Es el conejillo de Indias de la moda. Sin temor a quedar mal, se pone encima lo que le echen y ayuda de este modo a que los modistos pulan las prendas. En cualquier caso, siempre le ha atraído lo estridente, por considerar que ahí reside un vago pozo de juventud eterna. Aprecia la comodidad, aunque es un sacerdote sacrificado a la estética del momento. Se puso el primero las chaquetas de desmesuradas hombreras, y se pone ahora el primero los pantalones muy anchos por arriba, con pinzas, y estrechos por abajo, con vuelta. Recurre con frecuencia al sobretodo, especie de mandilón informe negro, que tiene la virtud de ocultar otras carencias.

Debilidades, todas. A una por mes. Cambiantes. También tiene su lema, "lo nuevo es bueno". Su vestuario es una constante pugna entre la negritud y los colores circenses. No da demasiada importancia a los tejidos. Es todo forma. En zapatos, los más extravagantes y siempre negros con o sin detalle de color.

Por otra parte, todo vale y no tiene estilo definido. Sólo ha desterrado rotundamente la corbata, optando por el cuello de camisa redondo, curril o campesino.

Y ahora busca las frases similares a éstas en el texto que acabas de leer y colócalas en la casilla correspondiente:

EL CLÁSICO

Prefiere aquello que no le es desconocido.
Prefiere ir a lo seguro.
No le llaman la atención los cambios.
No le atrae la aventura.
Es supersticioso.
No tiene tiempo para dedicarse a sí mismo.
Le da mucha importancia a la imagen que puede dar a los demás.
Tiene el tipo de ropa adecuada a cada hora del día y para cada oportunidad.
Le gusta todo lo caro y "de marca".

EL DEPORTIVO

Le gustan todos los medios de transporte rápidos.
Le gusta superarse a sí mismo.
Al hacerse mayor le sigue gustando la ropa deportiva.
Siempre "juega limpio", tanto en el trabajo como en el amor.
Es buen perdedor.

Intenta siempre ganar.
Parece más joven de lo que es, ya sea físicamente o en su forma de actuar.
Se puede confiar en su amistad.
Al hacerse mayor prefiere los deportes más tranquilos.
Le gusta la ropa informal, como los vaqueros o las cazadoras y los jerseys de colores suaves.

EL PRÁCTICO

Considera que es mejor comprar caro porque dura más.
Le gusta hacer cosas para la casa él mismo, antes que comprarlas hechas o mandarlas a reparar.
No tiene gustos refinados o excéntricos.
No tiene por costumbre hacer siempre lo mismo.
No le da importancia al tiempo.
Siempre tiene algo que hacer.
Le gusta el orden.
Le gusta charlar de sus problemas.
Le encantan los pantalones con bolsillos.
Su prenda favorita es el jersey.

EL POSMODERNO

Siempre está a la última moda.
No le interesa mucho la lectura.
Le encanta la música.
Vive fundamentalmente fuera de casa.
Le gusta el cambio.
No le gusta madrugar.
Casi no tiene amigos.
Es extrovertido.
Le gusta sentirse joven.
Rechaza totalmente la corbata.

EL CLÁSICO	EL DEPORTIVO	EL PRÁCTICO	EL POSMODERNO

2.

Lee la descripción de los cuatro tipos de clasificación femeninos:

CLÁSICA

Se las encuentra el domingo a la salida de misa de las doce. Están en casi todos los grandes acontecimientos que convoca el *establisment* y no faltan nunca a su cita con la Prensa del corazón.

COSTUMBRES

La clásica es una privilegiada fundamentalmente porque suele tener claro casi todo en esta vida. Se puede estar hundiendo el mundo y ella mientras tanto acudirá impecable a la ópera, aunque los palcos estén vacíos. El aperitivo de siempre es un buen fino, el whisky y el gin lo reserva para los cócteles y otras reuniones sociales. Como le horrorizan las multitudes acostumbra a practicar deportes individualistas o de parejas. Prefiere las comedias americanas, pero también, de cuando en cuando, le gusta emocionarse un poquito con "Lo que el viento se llevó". La clásica fetén disfruta ante todo con lo bueno, por eso no olvida el buen cine francés, los grandes directores italianos, el gran cine ruso, la música francesa de Edith Piaf, Brassens y el buen flamenco. Lee biografías y se encuentra con sus amistades en terrazas, pubs familiares y cafés antiguos con solera. Generalmente es socia de un club y juega bastante bien al bridge y a la canasta.

EXCÉNTRICA

Hay pocas excéntricas famosas en este país. Sin embargo, en la calle, en los ambientes más cutres y duros que pueda imaginarse florecen por méritos propios, echando bastante imaginación a todo lo que se coloca encima.

COSTUMBRES

Es difícil tropezarse con ella a media tarde y en plena calle. No suele prodigar su presencia y, en general, es ave nocturna que últimamente vuela, además, en una sola dirección. Apenas sale de casa de sus amigos. Las reuniones, divertidas, cachondas y cuidando el último detalle del vestuario son auténticamente de clan, mezclando a veces a gente variopinta. En estos casos la excéntrica suele vestirse de campanazo total y no se permite aparecer con la cara lavada o con un maquillaje tranquilo. En cualquier momento puede acercarse al tocadiscos y pinchar un disco de los *Cinco Latinos* o un bolero descafeinado versión años ochenta. Si el gesto hace gracia, lo pone de moda a los pocos días un amiguete desde una revista. Ahora le privan las novelas de Corín Tellado y todo lo que sea novela rosa; con la ola romántica que recorre Europa es probable que la excéntrica ponga en candelero las grandes novelas históricas de amor. Las revistas del corazón son su fuerte, y si hay que hacer ejercicio prefieren el culturismo más que nada, porque ahora sólo lo practican las raras. Sus pequeños ídolos en cine son los Gremlins, los Goonies y el americano Spielberg.

DEPORTIVA

Desde que la mujer trabaja es el estilo ideal de las jóvenes de cuerpo y espíritu. Normalmente no se complica la vida con la ropa y sabe que un vaquero le sacará de apuros. Concede suma importancia a la comodidad y se salta los cánones de rigor sin considera-ción alguna con tal de sentirse a gusto.

COSTUMBRES

La comodidad es su emblema y como son muchas las mujeres que eligen este principio para andar por la vida, juntas han conseguido revolucionar en este siglo muchos planteamientos en el vestir. El vaquero ha sido su prenda favorita, pero luego la industria ha sabido reaccionar con rapidez de lince y les ha "vendido" la playera, el chandal y la sudadera en colores alegres y algodones bien tratados. La imagen deportiva suele estar presente en casi todas las tendencias de moda internacionales. Unas veces se llama náutica, otras tenis, y otras sol, arena y agua. El nombre es lo de menos, los industriales son conscientes del filón que proporciona este sector del mercado y se inventan lo que sea con tal de satisfacer a este tipo de mujer. Aparte de la imagen netamente deportiva de la mujer que practica casi todos los deportes o, por lo menos, hace *footing* casi todos los días del año, está además la mujer de estilo deportivo que busca pantalones poco ceñidos, faldas amplias y cómodas, suéters amplios y zapatos supercómodos. Está abierta a todo lo que no le reste libertad de acción, sobre todo si va conduciendo un coche o tiene que moverse fuera de casa todo el día. Tiene la manía de hacer varias cosas a lo largo de la jornada y para mantenerse en pie firme combina la coca-cola con otros líquidos o simplemente se la toma sola. Las terrazas, los pubs, las tascas y las barras de los bares son habitualmente lugares de cita. Devora los libros de bolsillo y en las playas no se puede estar quieta ni un solo instante. A veces se le ve en bicicleta o vespino perdida en el mundanal tráfico. Las jovencitas deportivas van a discotecas amplias y de buen tono y suelen tener en cuenta la edad del chico a la hora de ligar: desconfían de los separados, talluditos y del clásico play-boy.

FUNCIONAL

Actualmente son las mujeres representativas de la moda española. En realidad, la ropa que llevan es puro diseño y disfrutan con esto más que una rica con un diamante. No se sienten demasiado atraídas por lo superfluo y lo accesorio en el vestir. Si pueden, utilizan buenos tejidos.

COSTUMBRES

A la mujer actual le encanta perderse en cualquiera de las nuevas salas con buena música y decoración escueta y vanguardista. Los pubs le parecen anticuados y las discotecas demasiado bulliciosas. Cuando bebe tampoco se pone ciega de whisky. Si todavía no se ha puesto el sol podría sobrevivir con agua natural y por la noche se contenta con tomar combinados o zumos. En las comidas, si es posible, prefiere un buen vino, preferentemente de marca. Tampoco se muere por las tiendas del Rastro, la vía Veneto o las *boutiques* del cogollo parisiense. Si tiene posibilidades acudirá a las tiendas de sus diseñadores favoritos y si no se las ingeniará para traficar con habilidad una prenda de aquí y otra de allí, descubiertas en alguna tienda simpática y con precios asequibles. Aunque no lo parezca, abomina la uniformidad y ya le empieza a caer gordo hacer "aerobic", entre otras cosas porque se conoce de memoria la música de los ejercicios. Le gusta el cine americano actual, las buenas actuaciones en directo y ha sido forofa de los conjuntillos de la movida nacional.

Y ahora di si es verdad o mentira:

LA CLÁSICA

	V	M
1. Para la clásica en esta vida todo es evidente.	☐	☐
2 Sus costumbres habituales no las deja, pase lo que pase.	☐	☐
3. Le gusta estar en compañía de mucha gente.	☐	☐
4. Le gusta leer todo tipo de literatura.	☐	☐
5. Le gustan los juegos de cartas.	☐	☐

LA DEPORTIVA

	V	M
1. Le gusta todo lo que signifique comodidad.	☐	☐
2. Le ha costado mucho llevar vaqueros.	☐	☐
3. Le gusta sentirse limitada en su acción.	☐	☐
4. No le gusta hacer varias cosas al día.	☐	☐
5. Le gusta la vida tranquila y reposada.	☐	☐

LA FUNCIONAL

	V	M
1. Le gustan los bares y las discotecas.	☐	☐
2. Gasta mucho dinero en ropa.	☐	☐
3. No le importa vestirse igual que todo el mundo si lo que lleva está de moda.	☐	☐
4. Le gusta el cine y la música.	☐	☐
5. En el vestir le importa fundamentalmente el diseño.	☐	☐

LA EXCÉNTRICA

	V	M
1. Le encanta salir a pasear por la tarde.	☐	☐
2. Prefiere la noche al día.	☐	☐
3. Es muy hogareña.	☐	☐
4. Es muy detallista en el vestir.	☐	☐
5. Le gusta leer novelas rosas y las revistas del corazón.	☐	☐
6. Practica todo tipo de deportes.	☐	☐

Lee atentamente este texto y completa el cuadro con la información que se solicita:

DOBLEMENTE EXTRANJEROS

La segunda generación de emigrantes, muchos de ellos nacidos en los países que sus padres eligieron como tierra de promisión, se esfuerzan en sentirse iguales a sus conciudadanos y de España sólo guardan imágenes de postal o estampas míticas. Pero no todos acaban de integrarse totalmente en el nuevo país, discriminados más o menos sutilmente: en Inglaterra, los otros muchachos les llaman *onions* (cebollas); en la RFA son los *gastarbeiter*, (hijos de emigrantes).

Preocupados constantemente por dar la talla, esa esquizofrenia se refleja en su vida cotidiana, su bilingüismo, sus estudios y su trabajo. Aunque un importante porcentaje de ellos infrautiliza el español o habla constantemente el idioma de adopción. En España también se sentirían extranjeros, o al menos extraños. Una extranjería que comienza con la pérdida del idioma originario, arrinconado por el uso cotidiano de la nueva lengua o los deseos de asimilación dentro del país de adopción.

Algunos han mitificado la tierra de sus padres y sueñan con un regreso con connotaciones mágicas. Otros conservan un caótico recuerdo del paisaje que vieron de niños mientras tratan de sobrevivir en su país real. Sólo una minoría ha logrado traspasar la Universidad y son casos pintorescos los que han conseguido triunfar en profesiones cotizadas o se han convertido en futbolistas, como Lozano –que ha regresado a España después–, o cantantes. La mayor parte son simplemente "hijos de emigrantes" que tratan de quitarse el lastre de *extranjeros*– en ocasiones ocultándolo a sus amigos– y dudan como inquietos personajes hamtletianos sobre qué hacer con ese lejano cordón umbilical que les une a este olvidado, añorado o magnificado país. El regreso, en cualquier caso, es una opción improbable, aunque el paro creciente de los lugares de adopción podría arrojarles de nuevo a España, donde también encontrarían paro seguramente. Sólo los aventureros o los más románticos desean volver definitivamente, aunque la nostalgia empuja a algunos a reencontrar y vivir durante algunos años en el espacio geográfico primitivo.

Son aproximadamente 11.000 los españoles menores de 25 años que viven en el Reino Unido: son la segunda generación de emigrantes, los hijos de los 107.000 hombres y mujeres que llegaron al Reino Unido entre los 1962 y 1973 buscando un puesto de trabajo y que todavía no han podido regresar. La mayoría habla inglés mejor que español, sólo conoce España gracias a las vacaciones de verano y tiene novia o novio británicos. Sin embargo, prácticamente todos quieren conservar la nacionalidad española y no se sienten británicos. La influencia de sus padres ha sido mayor que la del medio. Rodeados de un ambiente español, afirman ahora sentirse más cómodos en él que en el británico. Su grado de integración en la sociedad inglesa –a la que, en términos generales, valoran y aprecian– depende de su nivel cultural.

Alfie fue a una escuela británica y habla español con dificultad. Dejó el colegio cuando tenía 17 años –como su hermano pequeño–, y ahora prepara un curso sobre computadoras y trabaja los sábados en un *fish and chips* que le paga 2.000 pesetas a la semana.

Alfie pasaría más fácilmente como extranjero en España que en el Reino Unido, pero él se considera más español que británico. Su idea de España es, sin embargo, algo folklórica, fruto de su único contacto en vacaciones veraniegas: le gusta el clima, la forma en la que viven los españoles ("más juerga y menos trabajo") y el fútbol. "A mí lo único que realmente me gusta es jugar al balón".

"¿Problemas por vivir en el Reino Unido? No, que va. Tengo muchos amigos británicos. Lo que pasa es que preferiría vivir en España". Nunca se ha sentido discriminado: "En la escuela británica había muchos chicos de diferentes nacionalidades: italianos, paquistaníes, negros... Ser español no era nada raro". Si quisiera, podría pedir la nacionalidad británica, pero por el momento no tiene interés en ello.

Quien quiere regresar a España es José Luis. Su padre es camarero (la hostelería emplea a 20.000 de los 43.000 españoles que tienen permiso de trabajo en el Reino Unido), y su madre trabaja en un snack-bar. Él tiene 19 años y está en paro. Habla inglés como un británico, pero ha crecido rodeado de españoles y no se siente en absoluto británico. Le gusta incluso hablar en gallego (la lengua de sus padres) con los vecinos que encuentra por el barrio (Pimlico). "No me gusta el sistema de vida británico. Quizá sea ya más británico que español, pero la verdad es que me encuentro más cómodo allí, con mi gente y mi familia".

Pero el grueso de la emigración española en Europa es *continental* y Francia se lleva la palma, con una presencia de 412.000 españoles, muchos de ellos aceptablemente integrados.

Blanca se siente francesa por los cuatro costados, y no quiere saber nada de volver a España. Habla el castellano a *gatas* y el francés lo borda. Lo que sabe y lo que no sabe lo aprendió aquí, y cuando ha ido a España "no me entiendo con la gente, y ya no me interesa además". "España no es tema de conversación en casa", dice Blanca, "aunque existe la familia, pero nada más". Su madre guisa al estilo francés.

"
Alfonso Sanz, residente en el Reino Unido, tiene una idea un tanto folklórica de España y desearía fichar en un equipo de fútbol español.
"

Blanca no llegó a concluir el bachillerato, y se dedicó a trabajar como secretaria, entre franceses siempre: "Yo nunca me he sentido marginada. Para mí, España es como un país extranjero. Francia, por el contrario, es como mi país. Lo que me falta para estar integrada totalmente es poder votar". ¿Y por quien lo haría si pudiese? "Por Mitterrand".

Pascal Pérez, por el contrario, hace gala de su patronímica bilingüe y, más aun, entiende que "es una suerte pertenecer a dos pueblos diferentes". Eso del patriotismo, para Pascal Pérez, "es una bobada completa". Pascal se siente español y francés. Habla a veces en un español algo dudoso, y otras en un francés perfecto, cosa lógica esta última, porque hace 22 años Pascal Pérez nacía en París de un padre valenciano y de una madre santanderina. El matrimonio había llegado aquí a ganarse la vida, como la oleada emigrante que abandonó aquella España de finales de los años cincuenta, y así siguen: su padre es obrero en la firma Citroën, y su madre hace *menage*, según la expresión de su hijo Pascal; es decir, trabaja como asistenta.

Cada dos por tres insiste en que él es tan español como francés, y que eso es formidable: "Los españoles pueden ser más abiertos, como se dice, y los franceses, más fríos, pero todos son seres humanos iguales". En la Casa de España de París recibe clases de guitarra.

Le gusta el flamenco, no sabe lo que es *El lazarillo de Tormes*, no lee periódicos, pero sí sabe quién es el presidente del Gobierno Español.

Cuando va a España asegura que se entiende con la gente, y cuando se le pregunta si prefiere casarse con una española o con una francesa responde que "eso es una pregunta de una niña de 10 años".

En Alemania, el porcentaje de emigrantes españoles es también sensiblemente alto y supera la cifra de 173.000 personas. Los hijos de los mismos alcanzan los 59.000, aunque sólo viven en la RFA 42.000. La integración cultural es más difícil, pero la humana no es esencialmente discriminatoria, informa José Comas.

El sevillano Juan Ramón de la Rosa, de 24 años, llegó con 12 a la República Federal de Alemania, donde su padre, marmolista en España, había encontrado trabajo en una fá-

brica de Bonn. Hoy, Juan Ramón, casado con una joven alemana de 23 años, estudia ingeniería de telecomunicación en la escuela técnica de Aquisgrán. Había estudiado hasta primero de bachiller en España, y al llegar a Bonn empezó las *clases paralelas* para conseguir integrarse en la escuela alemana, lo que consiguió con éxito. Su caso podría ser un modelo de fusión en la nueva sociedad, aunque Juan Ramón piensa en la posibilidad de volver algunos años a España. "Antes no se me ocurría, pero ahora me entran ganas de ir, porque aquí empiezan por los turcos y luego pueden seguir con los españoles".

A pesar de estos temores de que la xenofobia pueda extenderse en la RFA, el joven estudiante reconoce que nunca tuvo problemas de discriminación; "pero si no te toca a ti y le toca a otro que conoces, no te gusta". Para Juan Ramón, el modo de vida en España es completamente diferente

"aunque no se puede comparar, porque cuando estoy allí voy de vacaciones, con tiempo y dinero, y todos te reciben con los brazos abiertos. No puedo imaginarme cómo es la vida diaria pero creo que la gente es más abierta y se saca más al día. Aquí trabajas y se acaba todo a las cuatro o cinco de la tarde".

"La patria tiene también que hacer algo por ti, y hasta ahora no han hecho demasiado por nosotros en España".

Al contrario que Juan Ramón, María Gallego, tal vez por ser más joven, parece vivir cierto desdoblamiento cultural. María nació en Valencia y llegó con nueve años a la República Federal de Alemania. Es la mayor de cinco hermanos, tiene 17 años y vive con sus padres en Kaldauen, un pueblo próximo a la ciudad de Siegburg, que está situada entre Bonn y Colonia. El padre de María trabajó de albañil, pero una enfermedad de vértebras le impidió continuar su profesión. Actualmente, el padre de María está parado, tras haber aprendido una nueva profesión de cerrajero. María, cuando habla de la profesión de su padre, tiene que recurrir a la palabra alemana porque "no sé cómo se dice en español".

"Tengo muchos amigos españoles y alemanes y conmigo los alemanes se portan igual que con los otros. Mi padre vive más entre españoles, pero tampoco tuvo malas experiencias, al menos que yo sepa".

	Inglaterra	Francia	Alemania
N.º de emigrantes o tanto por ciento			
Integración			
Tipo de estudios en el país			
Origen de los padres			
Posibilidades de regreso			
¿Qué hacen en su tiempo libre?			
¿Cómo ven su futuro?			

Seguro que tú conoces a algún emigrante español o has leído o te han contado algo sobre ellos. ¿Qué crees que hay de verdad en este artículo? ¿Qué suelen echar de menos? ¿Qué problemas tienen? ¿De qué tipo? ¿Cómo ves su futuro?
Escribe una breve carta a un emigrante amigo tuyo avisándole de la existencia de este artículo y dándole tu opinión sobre el mismo.

4.

¿Has viajado alguna vez o otro país o cambiado de ciudad, ya sea por razones de trabajo, de estudios o por vacaciones?
Si es así, seguro que has echado de menos algunas cosas, por ejemplo:

> la comida
> el clima
> la familia
> los amigos
> tu novia/novio
> ...

Imagina los textos de posibles postales escritas a amigos españoles explicándoles dónde estás y qué echas de menos.

5.

Te encuentras en estas situaciones. Escribe notas disculpándote.

1. Has quedado con un amigo a las seis de la tarde. Has tenido problemas y has llegado a las siete y media. Tu amigo ya se ha ido. Le dejas una nota en su buzón.

2. Un amigo te ha prestado una maleta. Al salir de viaje, en el aeropuerto, se te ha roto. Le envías una postal donde le cuentas lo que te ha pasado. Por el momento sólo te disculpas; ya se lo explicarás con más detalle cuando regreses.

3. Un amigo español, que ahora trabaja en Ávila, te ha enviado unas diapositivas que hicisteis juntos. Te ha pedido que sacaras inmediatamente copias de las mismas y se las devolvieras. No lo has podido hacer porque tu hijo pequeño las ha cogido y ha estropeado unas cuantas.

4. Te han prestado una novela y ya la tienes que devolver pero no la encuentras. No puedes comprar otro ejemplar, está agotada la edición. (Una compañera que vive contigo ha estado ordenando la biblioteca).

6.

Coge una palabra de cada caja y completa las siguientes frases (no te olvides de las preposiciones):

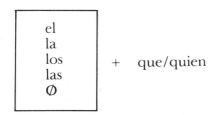

el
la
los
las
Ø

+ que/quien

1. Esa es la chica _____ hablamos el otro día.

2. Ahí está el señor _____ viajamos la semana pasada.

3. Mira aquí te traigo los artículos _____ te estuve hablando ayer.

4. En el puerto de Barcelona está el barco _____ Cristóbal Colón fue a América.

5. Aquella casa de piedra es la casa _____ vivía mi abuelo paterno cuando era pequeño.

6. ¿Y éste es el cuadro _____ has pagado tanto dinero?

7. Aquí tienes los libros _____ encontrarás toda la información que necesitas.

8. Toma. En este mapa te he señalado con una cruz todos los sitios _____ como mínimo hay un camping.

9. Sobre la mesa tienes la lista de todas las personas _____ tendrías que invitar. Míratela y decide tú.

<u>7.</u>

Completa con la forma correcta del verbo:

1. ● Probablemente (LLEGAR-ellos) _____ más tarde de las dos. Vamos, creo yo.

2. ● Qué raro que Juan no nos haya llamado. El otro día dijo que hoy vendría a Madrid.

   ○ Hombre, puede ser que (LLAMAR) _____ y no (ENCONTRAR) _____ a nadie en casa. Llevamos tres horas aquí.

3. ● ¿Sabes una cosa? A lo mejor (CASARSE) _____ mi hermano menor este verano.

4. ● Aún no sabemos qué hacer, pero lo más probable es que (QUEDARSE) _____ en casa estas Navidades porque María José tiene mucho trabajo.

5. ● Oye, yo creo que lo mejor es que (IRSE-nosotros) _____ a la cama. A estas horas ya no creo que (VENIR) _____ Gloria y Manuel a tomar una copa.

6. ● Oye, Roser, ¿sabes que igual (COMPRARSE-nosotros) _____ una casa en la montaña al lado de la vuestra?

7. ● En mi opinión tu proyecto es muy bueno. Quizás te lo (ENCARGAR-ellos) _____ a ti.

8. ● Voy a decirte una cosa pero no se lo digas a nadie. Es posible que (TRASLADARME-ellos) _____ para dirigir una agencia que van a abrir en Canarias.

9. ● Santi, me imagino que (DESPEDIRSE-tú) _____ de ellos antes de marcharte, ¿no?

   ○ Sí, José Antonio, sí... Lo más probable es que (PASAR) _____ esta misma tarde por su casa.

9.1.

MODELO: cinco años mayor/su hermana
Él es cinco años mayor que su hermana.

1. cinco años mayor/su hermana
2. unos meses más joven/su novia
3. mucho mayor/Jorge
4. un año mayor/su primo Enrique
5. tres años más joven/Lola

9.2.

MODELO: delgada
Cada día está más delgada.

1. delgada
2. antipática
3. pesada
4. insoportable
5. gordo

9.3.

MODELO: Pablo está hablando con una señora.
¿Quien es la señora con la que está hablando Pablo?

1. Pablo está hablando con una señora.
2. Estabais hablando de una chica chilena.
3. Tomás ha saludado a un chico.
4. Sergio ha acompañado a unas chicas.
5. Le has dado tu dirección a una señora.

9.4.

MODELO: él/su hermano mayor.
Se parece mucho a su hermano mayor.

1. él/ su hermano mayor
2. tú/ tu padre
3. yo/ mi abuela
4. ella/ su tía Elvira
5. tú/ tu hermana menor

9.5.

MODELO: Maribel me llamó./No Teresa.
Fue Maribel quien me llamó. No Teresa.

1. Maribel me llamó./No Teresa.
2. Rubén tuvo un accidente en verano./No su hermano.
3. Raquel vino el miércoles./No Isabel.
4. Santiago encontró trabajo en Bilbao./No Gustavo.
5. Oscar llegó tarde./No Isidro.

9. Lo que oyes

9.6.

MODELO: Vi a Cristina./No a Susana.
Fue a Cristina a quien vi. No a Susana.

1. Vi a Cristina./ No a Susana.
2. Llamamos a Páez./ No a su socio.
3. Contratamos a Lucas./ No a su amigo.
4. Di tu número de teléfono a Daniel./ No a Carlos.
5. Se lo dijimos a su madre./ No a su padre.

9.7.

Repite:

1. ¡Cuánto tiempo sin verte!
2. Hacía mucho tiempo que no nos veíamos.
3. ¡Tú por aquí!
4. ¿Qué toma?
5. ¿Te apetece tomar algo?
6. No, gracias, ahora no me apetece nada.
7. Vale, gracias. Un café con leche.
8. Una tónica, gracias.

9.8.

MODELO: Se ha olvidado.
Igual se ha olvidado.

1. Se ha olvidado.
2. No viene hoy.
3. No es aquí donde habíamos quedado.
4. Se ha cambiado de casa.
5. Se ha enfadado.

9.9.

MODELO: Estará aquí a eso de las dos.
Me imagino que estará aquí a eso de las dos.

1. Estará aquí a eso de las dos.
2. Ya habrán recibido la carta.
3. Pilar les habrá llamado.
4. Nos veremos el domingo.
5. Volverá el lunes.

9.10.

MODELO: No le gustará.
No creo que le guste.

1. No le gustará.
2. No lo sabe.
3. No tiene mucho dinero.
4. No encontrará habitaciones para Julio.
5. No se lo dirá a su cuñada.
6. No vendrá a pie.

9.11.

       MODELO: Ya lo sabe.
                       Ya lo sabe, supongo.

1. Ya lo sabe.
2. Llegará dentro de un rato.
3. Está por ahí.
4. Lo pone el periódico.
5. Hay alcohol en el baño.

9.12.

       MODELO: este vestido/muy bien
                     Este vestido te queda muy bien.

1. este vestido/ muy bien
2. este peinado/ perfecto
3. esta falda/ un poco estrecha
4. estos pantalones/ grandes
5. estas gafas/ muy bien

9.13.

       MODELO: Laura/ ha llegado a las diez
                     Ha sido culpa de Laura, que ha llegado a las diez.

1. Laura/ ha llegado a las diez
2. esa moto/ no ha respetado el stop
3. Manuel/ se ha olvidado de la dirección
4. Valentín/ se lo ha explicado todo a Felipe
5. Berta/ se ha puesto muy nerviosa

9.14.

Repite:

1. Trátame de tú.
2. Tutéame, por favor.
3. ¿Está libre ese asiento?
4. No exageres. No hay para tanto.
5. Oye, mira, te dejo, que me están esperando.
6. Podrías haber llamado, ¿no?
7. ¿De qué le conoces?

9.15.

Escucha y contesta a las preguntas:

1. ¿Por qué está triste?

_____

2. ¿De qué se conocen?

_____

9. Lo que oyes

3. ¿Por qué no puede creer la edad que tiene?

_____

4. ¿Se parecen?

_____

5. ¿Por qué parecen iguales?

_____

6. ¿De qué lo conoce?

_____

7. ¿A quién se parece y en qué?

_____

8. ¿Está ocupada?

_____

9. ¿Lo tratará de tú o de usted?

_____

10. ¿Llegará tarde?

_____

11. ¿Cuánto hacía que no se veían?

_____

12. ¿Lo ha avisado por teléfono?

_____

13. ¿Cómo quiere que lo trate?

_____

14. ¿Quiénes son Manuel y Lole?

_____

15. ¿Cuál es el chico con el que sale Estefanía?

_____

RELACIONES PERSONALES

El tú y el usted

Una distinción que ya sólo sirve para fastidiar

Me da fuego?
—En seguida os complazco, distinguida dama.

Si hay que mantener una distancia, un respeto inmerecido o no expresable para el resto del discurso, el gesto o ademanes, prefiero el vos al usted. En el colegio, para ponerme de rodillas me hablaban de usted.

Metido en estudios sobre la juventud, uno de mis problemas es el de delimitar cuándo acaba esto de ser joven. ¿A los 25 años? ¿A los 30, puesto que hasta esa edad los porcentajes de paro son muy elevados? El paro rejuvenece, algo es algo. ¿Al casarse? En las culturas rurales, y a menudo en las urbanas, a las mujeres se les viene de golpe encima, en cuanto se casan, el chaparrón de ser tratadas de igual a igual por las más viejas comadres.

Bueno, uno de los más claros indicadores de cuándo una persona ya no es joven es el momento en que todo el mundo le habla de usted.
—¿Me da fuego?
—Mira, enana, que sólo hayas podido acumular 17 años no te autoriza a considerarme un marciano. Aunque te parezca un carroza, soy joven de espíritu, domino dos jergas juveniles y una carcelaria, hago yoga y *footing* y me conservo ágil y saludable.

Es inútil. Uno de los más irremediables distintivos de la juventud es el de destrozarse la salud sin consecuencias vi-

sibles inmediatas. Jamás con tu régimen macrobiótico (reformado) serás tan joven como el chaval que se atiborra de pastelillos rellenos de televisión. Puede que estés más sano o que seas menos imbécil, pero ya no eres joven.

Claro que eso no es motivo para que dejen de hablarte de tú. Yo empecé a darme cuenta de que no era joven un día aciago de octubre en que los alumnos de ese curso aparecieron por la facultad predispuestos al usteo más ofensivo. En la vida académica de mi facultad, bastante joven ella, el usted se utilizaba sólo con algún catedrático antiguo, en cualquiera de sus aceptaciones.

Conforme concluían los sesenta y venían los setenta, mi mundo se pobló de estudiantes que querían ser obreros y obreros que empollaban por mor de la emancipación de la clase. El tuteo avanzaba como anticipo de una sociedad igualitaria. Entre los estudiantes y yo, más que una diferencia escasa de años lo que

había era una diferencia escasa de actitudes. Luego empezaron a llegar alumnos neopáticos, posconservadores y parapragmáticos, que ponían cara de interrupción televisiva. Muchos llegaron hablándome de usted y, bueno, si venían a preguntar sólo qué iba para el examen, tampoco importaba tanto.

Ignoro si alguien ha reconstruido la diversificada cronología social de la pérdida del usted hacia los padres. Mi tío Joaquín, en paz descanse, hablaba de usted a su madre, mientras que mi hermano y yo le hablábamos de tú. Mi tío Joaquín defendía el usted con argumento sólido: "Es más fácil decir papá vete a la mierda que papá váyase usted a la mierda". En realidad parece más práctico, por contundente y definitivo, lo segundo, supuesto el deseo de enviar al padre al cuerno.

El usted y el tú tradicionales, de los que los actuales no son sino hilachas irritantes, tenían funciones de clase, no sólo de edad y reverencia.

"¿A quién trataremos de usted?", preguntaba Federico Bosch y Sierra en su *Prontuario de urbanidad* (declarado de texto en 1903, reeditado al menos hasta 1915). "A los demás superiores nuestros y aún a los iguales con quienes no tengamos suficiente intimidad". Cabe, pues, inferir, ya que existían inferiores, y a ellos debía, podía o solía tratárseles de tú. No todo el mundo tenía *inferiores* sobre todo los *inferiores*. Los *inferiores* carecían de aparceros, gañanes, fámulos, obreros, aprendices, doncellas y criadas a quienes hablar de tú. En la práctica, los camareros, vinieron a hacer de inferiores para quien no los tenía. El camarero vino a ser —aún lo es cuando se deja— una especie de *inferior* colectivizado, de servicio público. En mi adolescencia me irritaba oír a algún compañero de colegio de pago hablarte de tú a un profesional de hostelería que podría ser su abuelo. Sadismo relativamente superfluo de la sociedad española, escribía Alfonso Sastre en *Triunfo* hace un montón de años. La democratización del sadismo clasista estaría conseguida; no es preciso ser rico, basta con pagarse una caña para poder hablarle de tú a alguien de arriba abajo.

Ahora que quienes estamos entre los 35 y los 45 años nos tuteamos con el mismísimo Leviatán, o sea, con casi todos los ministros y consejeros autonómicos, hablarse de tú con alguien carece de toda emoción. Quedan las astillas hirientes del doble tratamiento. Queda el usted como odiosa condición posibilitadora de que alguien porque se tutea contigo puede ser maleducado. Queda el usted para marcar estúpidamente edades o estados civiles. Y quedan aún tuteos impresentables: como el del señor mayor (por ejemplo, camarero) a la mujer atractiva desconocida o el del policía al sospechoso.

Josep-Vicent Marqués

9. Al pie de la letra

—¿No me recuerdán? Soy Felipe Biescas, el amigo de Planibell —y volviendo a llevarse la mano a la frente añadió—: a sus gratas órdenes.

—¿Qué hace usted aquí?

—Contemplar la barca y su preciosa carga.

Yo acerqué la lancha a la orilla. Allí estaba aún la góndola. Felipe se apartó un poco. No las tenía todas consigo. Yo le pregunté.

—¿Piensa usted ir a la "Quinta Julieta"?.

—Sí pienso ir. El amo es pariente mío. Bueno, el verdadero amo es otro y mi pariente es el encargado.

—¿Es posible?.

—Sí, la gente suele tener parientes. Es lo que me pasa a mí. Mi tío paga un tanto y explota la "Quinta Julieta".

Mi hermana quería dar la impresión de que despreciaba a Felipe, quién sabe por qué. Tal vez porque todavía no se afeitaba.

—¿A qué hora sale la góndola? —pregunté.

—El primer viaje a las siete y media en punto.

—No madrugas mucho.

—No. Nadie madruga aquí más que ustedes y yo. Bueno, y mi gente.

—¿Qué gente? —pregunté.

—Gente de paz —respondió en el estilo militar—. Allí están. ¿No las ves?

Ramón J. Sender, *Crónica del alba*

Dolores había terminado a su vez la lectura y su mirada se cruzaba con la tuya, todavía intacta y azul, mientras los objetos se disolvían lentamente en el rojo agresivo de la tarde.

—¿Has sabido algo de él? —te decía.

—Ocasionalmente. —Hablabas y era como si otro, un desconocido, respondiera por ti—: Según parece encontró trabajo en una fábrica de tejidos y se quedó en Tarrasa.

—¿Y su hijo? ¿Recuerdas cuando venía a pedirnos libros?

Tú evocabas su rostro tosco, de labios gruesos y pobladas cejas, mientras, acodado en la mesa de su estudio de la rue Vielle du Temple, desempolvaba la historia de su padre con la vista fija en la punta de sus zapatos.

—¿No te lo dije?

Dolores te interrogaba con los ojos, su hermoso cabello en mechones caído sobre la frente.

—No.

—Volvió a España y se metió en líos.

Su imagen flotaba de nuevo ante ti, serena y grave en la luz incierta, como el día en que vino a despedirse de vosotros y estrechaste su mano por última vez.

—¿Qué líos?

—Le pillaron con propaganda y lo detuvieron.

Un mirlo se había posado en el alero del tejado. Simultáneamente la hija de los colonos irrumpió en la terraza con el vaso de agua y las gotas.

—¿Dónde está?

—Preso.

Las sienes te punzaban de improviso y, agazapado en lo hondo del pecho, sentías un redolor inquieto y sordo.

—¿Por mucho tiempo?

—No lo sé.

Perezosamente las gotas se disolvían en el vaso de agua y, pese a tus esfuerzos, el rostro del muchacho se aferraba a tu memoria obstinado y pugnaz, como un reproche mudo.

—¿Quién te lo dijo? —Dolores se había incorporado de la gandula y te tendía graciosamente el vaso.

—Antonio. —La tarde naufragaba poco a poco y otra vez hablabas tú—: lo eligieron enlace sindical y cayó en la siguiente redada.

Juan Goytisolo, *Señas de identidad*

176

La mujer fuerte

Texto: Feliciano Fidalgo

Jaqueline es un animal de la vida: lo fue amando a Picasso y lo es glorificando su soledad para que nadie sepa nada de verdad. Ella y Picasso continúan entendiéndose, a pesar de que la muerte del monstruo de Málaga los separa (aparentemente) desde hace más de dos lustros.

El misterio Jacqueline nadie lo ha descubierto aún; sólo algunas frases triviales lo han intentado manosear y algunos apasionados intentaron olerlo. Pero nadie sabe nada. Todo comenzó, sin duda, cuando hace así como 56 años Jaqueline se hizo ciudadana del mundo en París; y todo reventó cuando allá por la década de los años cincuenta un hombre

solo (nada más y nada menos) deambulaba por las calles de Vallauris, en la Costa Azul, y entró en La Madoura, razón social de un ceramista que expendía sus creaciones precisamente. Pero este solitario que no se había enterado (nunca se enteró) que el seguro de enfermedad lo catalogaba vulgarmente entre los desheredados de la tercera edad miró con sus ojos planetarios a la chiquilla responsable de sus cerámicas, y punto y aparte.

Pablo le regaló a la niña Jacqueline un libro de cocina para que aprendiera a hacer la paella y le sentenció: "Has entrado en religión". Y ya nunca más se supo realmente de ninguno de los dos: un loro que vivía con ellos en la mansión de Notre Dame de Vie se con-

virtió en el mago de la ceremonia continua de la confusión: "Jacqueline, ¿dónde estás?" era la frase de Picasso, repetida mil veces al día hasta que la aprendió el loro. ¿Quién era Picasso?, ¿quién era Jacqueline? "Yo podía decir que vivía en ninguna parte porque vivía un universo creado únicamento por él".

Aquel embrujo, vivido y sufrido como la sed apagada en cada instante, se rompió un día como se rompe la infancia en un segundo por no se sabe qué. Y entonces nació, aparentemente, la otra Jacqueline. Es la misma "mujer fuerte de la biblia picassiana", y la de antes de Picasso; es la eterna Jaqueline, frágil como lo son todos los locos capaces de amar porque su ser es un estuche de sinrazones; y desafiante

hasta la brutalidad como la memoria de un ordenador, porque ellos (ella, Jacqueline) son el universo.

La vida de Jaqueline es el calvario de la cruzada picassiana:

Jacqueline fue la única mujer en el mundo que amó a Picasso con los ojos cerrados.

A Jacqueline apenas se la ve en Mougins; los vecinos la citan con respeto, y enseguida le preguntan al forastero: "¿Tiene usted cita con ella?"

Cuando Jacqueline sale de Notre Dame de Vie es para "encontrar mi serenidad" en Vauvenargues, el castillo en el que reposan los restos de Picasso; o para viajar por el mundo, "porque lo que importa es que todo el planeta conozca la obra de Pablo".

9. Al pie de la letra

LA URBANIDAD, CONTRA LA CORTESÍA

Josep-Vicent Marqués

Nunca fue gran cosa la vieja urbanidad, y con el tiempo vino a quedarse en un mero asunto de distribución de asientos en los transportes públicos.

Dormitaba mi amigo Everardo Frankenstein en el *metro* cuando su vecina de asiento le increpó diciéndole:

—¿No le da vergüenza ir sentado, mientras aquella señora va en pie?.

—En absoluto, señora —contestó mi amigo—. Se ve de lejos que la anciana respira salud, es fuerte como los robles que la vieron crecer en el campo y parece bien adaptada a la vida urbana. Apuesto a que viene de un curso de *aerobic*. En cambio, yo he currado 10 horas en el ramo de la construcción, y en cuanto llegue a casa tendré que subir en alto 15 veces al pequeño y otras 15 al mayor para que no tenga celos. Mire, puesto a ceder mi sitio, se lo cedería, si acaso, a aquella joven.

—Es usted un cínico.

—En absoluto, señora. Como diría Sherlock Holmes, esa joven lleva a estas horas, las 20.13, una cesta de la compra, lo que indica que trabaja y no ha podido comprar antes. Observe usted la mancha de papel carbón en su meñique izquierdo. Es mecanógrafa, duro oficio. Debe tener la espalda muy castigada. Cuando llegue a casa tendrá que hacer la cena y presumo ésta laboriosa. Fíjese cómo en la cesta no hay envoltorios pequeños que sugieran entrecotes, patés, quesos y otras materias primas de rápido aderezo. En cambio, asoma el penacho de los apios y la punta de una zanahoria, y esos bultos de tamaño desigual no pueden ser sino patatas; todos alimentos que requieren no poco ingenio y bastante trabajo para que lleguen a resultar apetecibles. No creo que tenga tiempo de leer siquiera la revista que trae en la mano. ¡Santo cielo! ¡Es una revista de ordenadores! Mucho me temo que esta joven añada a las fatigas de una doble jornada el esfuerzo hasta altas horas de la noche.

Y sin esperar respuesta de su vecina de asiento, Everardo se lanzó a ofrecer el suyo a la joven desconocida, bloqueando con su cuerpo toda posibilidad de que la ágil anciana pudiera ocuparlo.

Aun se sigue preguntando: ¿señora o señorita? Quizá con educadísima inocencia. El caballero que cree obligación de cortesía hacer esa pregunta puede que no sea consciente de lo que realmente significa: nada menos que sonsacarle su situación sentimental / sexual a alguien que no nos ha dado confianza alguna. Pregunta insidiosa donde las haya, el "¿señora o señorita?" equivale aproximadamente a esto: "¿Es usted propiedad de un varón y, en consecuencia, debo abstenerme de mirarla como posible compañera de esparcimientos sexuales, a la vez que felicitarla por haberse conseguido un proveedor, o está en libertad provisional y, por tanto, debo ahora decidir si es usted una presa apetecible, una peligrosa cazadora o un resto de muy pasadas temporadas?" Por ello, la cortesía tradicional añadía un grotesto "porque usted querrá", en el que el educadísimo varón confirmaba, benévolo, que aún había esperanzas.

Ignoro los criterios por los que se guían los camareros para adjudicar libremente el tratamiento de señora o señorita a las comensales. Los sospecho torpes (¿una estimación de las patas de gallo?), turbios (¿alguna hipótesis sobre la naturaleza pecaminosa de la relación entre ella y el señor que la acompaña?) y, en cualquier caso, siniestros.

No repetiré lo que ya he escrito sobre el tú y el usted. Odioso es el tú que impone confianzas injustificadas o establece superioridades, pero no hay diferencia alguna en un usted que te recuerda tu edad.

¿Y qué se pretende al hacer pasar delante al otro? ¿Que experimente primero los rigores del clima para saber si debe o no uno abrigarse? ¿Que se adentre primero por el territorio apache?

Adoro la cortesía como aperitivo del afecto. Odio las fórmulas como sucedáneo de la investigación sobre qué puede serle grato a quién. ¿Habéis observado algo más patético que un señor diciéndole a la niña de unos amigos "¡qué guapísima estás!", cuando la niña soporta estoicamente el acero del acné, luce un corrector de dientes y sus enormes gafas no logran ocultar una mirada de atroz lucidez? "Encima, cachondeo", piensa la niña, que si acaso aceptaría la oferta de un helado o un sincero mensaje de esperanza en una pubertad esplendorosa.

Más fórmulas. ¿Quién es esa mujer y por qué dice que está encantada de conocerme si nos acaban de presentar un día en el que estoy griposo, sólo tenía limpia una camisa a rayas que se odian con las rayas de mi chaqueta, no he tenido ni siquiera el tiempo mínimo para manifestarme con ella amable, ingenioso, cáustico o simplemente vivo, y ni siquiera soy el novio de su mejor amiga? Y si ya está encantada y, sin embargo, pone esa cara de absoluta indiferencia, ¿qué puedo hacer ya para despertar su interés?

10

¿Y A USTEDES LES PARECE NORMAL?

1.1.

Responde a estas preguntas:

1. ¿A quién prefiere enviar a Ginebra y por qué?

2. ¿Han firmado el contrato?

3. Hay un grupo de personas que tienen problemas de trabajo. **¿Para qué** se quieren reunir?

4. ¿Por qué el jefe de personal no quería que la gente se enterara de que se iban a trabajar a Guadalajara?

5. ¿Por qué dicen que es un negocio abrir un bingo?

1.2.

¿Verdad o mentira?

	V	M
1. Fernández Ros tiene más antigüedad en la empresa que Iríbar.	☐	☐
2. MECASA ha dicho que si no compran una determinada cantidad, no firma el contrato.	☐	☐
3. A alguien van a bajarle el sueldo y algunas personas lo ven injusto.	☐	☐
4. Hagan lo que hagan, a unos cuantos les van a reducir el horario de trabajo.	☐	☐
5. Cuando le robaron los documentos se asustó mucho.	☐	☐
6. Una persona tiene que hablar con otra en privado, después.	☐	☐

1.

Lee este texto:

HAGASE CONSERVADOR

Con la naturaleza hay que tomar partido. Y lo normal es que se tome el más conservador. Para eso nace el Libro de la Naturaleza. Un ejemplar único que analiza la vida en el planeta de cabo a rabo. Que responde preguntas y aclara conceptos. Especie por especie. Tema por tema. Aquí tiene algunos ejemplos.

DESTRUIR EL PATRIMONIO ES UNA LOCURA MONUMENTAL.

Eche un vistazo a su entorno. Verá cuántos crímenes urbanísticos se cometen diariamente. Fíjese en el abandono y deterioro de nuestro Patrimonio. Un Patrimonio que nos pertenece y no podemos tirar por tierra.

¿CONOCE LAS MIGRACIONES ICTIOLOGICAS? ¿O ESTA VD. PEZ?

Para conocer en profundidad los Mares y los Océanos. Las migraciones ictiológicas. Los santuarios. La Naturaleza marina tocada a fondo y con absoluto rigor científico.

LA DESTRUCCION DE LOS BOSQUES, ES UN TEMA QUE QUEMA.

Los incendios forestales están acabando con la vida poco a poco. ¿Es piromanía o hay otros intereses de fondo? Todo lo que Vd. quería saber sobre la repoblación forestal y la conservación de la naturaleza, en el Libro de la Naturaleza.

ANTE EL PROBLEMA DEL RUIDO NO SE PUEDEN HACER OIDOS SORDOS.

Es un tema grave que el Libro de la Naturaleza toca ampliamente y afinando en su contenido.

Un volumen que aumenta por días y que nos puede dejar sordos en pocos años.

¿POR QUE LOS ESPAÑOLES TENEMOS TAN MALOS HUMOS?

Hemos dedicado 11 apartados a este interesante tema: la contaminación en la ciudad, el aire que respiramos, el futuro de la bicicleta, el medio ambiente y la Constitución... Aprendamos a bajar los humos. Por nuestro propio bien.

El Libro de la Naturaleza. 282 artículos. 32 Profesionales. Miles y miles de datos, fotos e ilustraciones, en un volumen que le muestra el mundo. Si Vd. tiene un espíritu conservador, querrá conservar este libro. Ya lo verá.

Contrapunto

EL LIBRO DE LA NATURALEZA
1984

EL LIBRO DE LA NATURALEZA
Hay que ver cómo está el mundo.

EL PAIS

Solicite el Libro de la Naturaleza directamente con este cupón. (También lo encontrará a la venta en las principales librerías y kioskos de todo el país).
Deseo recibir el "Libro de la Naturaleza" en las señas siguientes:

Nombre y apellidos _____

Población _____

Provincia _____

(Su importe 600 ptas.. más 100 ptas. de gastos de envío.lo hago efectivo mediante: _____ D.P. _____

☐ Talón bancario adjunto _____

☐ Giro postal n° _____

Dirijan el importe a El País. Libro Naturaleza. Miguel Yuste. 40. Madrid-17.

Y ahora busca dónde se dice esto:

1. Se construye sin respetar a la naturaleza.
2. Este es un libro muy especial que estudia todos los aspectos de la vida en la tierra.
3. Es necesario que controlemos todos los productos contaminantes. Eso nos beneficiará a todos.
4. Cada día hay más ruido y eso es peligroso.
5. Los incendios provocados están aumentando.
6. ¿Sabes algo de la vida de los peces o no sabes nada?
7. ¿"Eres conservador" en el sentido que aquí se utiliza la palabra?

Y ahora coge uno de los temas subrayados en el anuncio, el que más te interese, y escribe un pequeño artículo sobre él. Puedes comenzar con:
"¿Se imagina usted lo que pasaría si...?

10.

2.

Lee esta carta:

El experimento sexual escolar

El colegio público Pablo Picasso, de Terrassa, ha puesto en marcha un programa de educación sexual en un barrio obrero y sexista, según el suplemento de Educación de EL PAIS del 9 de octubre. Empieza en preescolar, a partir de que niños y niñas junten sus cuerpos en el suelo, estirados cara arriba, o jueguen por parejas alternando los papeles de *masa de barro* y *escultor,* para conocer los cuerpos y apreciar las sensaciones de placer. Termina en los últimos cursos de básica, dedicando especial atención a los anticonceptivos, explicándoseles su utilización, riesgos y seguridad. Durante el programa, los niños aprenden que las relaciones sexuales son para gozar, y que si no se quiere ser padre o madre, se puede evitar; también saben que dos chicos o dos chicas se pueden enamorar...

Considero preocupante que en la descripción del plan, que pretende ser un diseño de educación integral, se ponga todo el acento en la formación sexual y no se haga ninguna referencia a la formación ética o moral. Si se quiere formar personas, un mejor conocimiento sexual ha de ir equilibrado con un paralelo enriquecimiento ético o moral; de no ser así, los riesgos que se pueden correr son grandes y difícilmente reparables. Hasta entre animales hay reglas o pautas de comportamiento.

Me sorprende que en un tema de tanta trascendencia el proyecto surja de la iniciativa de un grupo de profesores, sin invocación clara de planes educativos semejantes homologados con éxito en culturas análogas a la nuestra. Se trata a todas luces de un experimento. ¿Es posible hacer experimentos en esta materia? Lo considero muy arriesgado. En todo caso, se requeriría la libre aceptación de los padres. ¿Se ha elegido para la prueba un centro en el que ius padres puedan con libertad oponerse individualmente? En cuanto al contenido del programa, cabría formular numerosas observaciones y reservas, pero creo que la ya citada descripción literal y gráfica es sumamente elocuente y apenas necesita comentarios. **María Fernanda Prado,** *presidenta de la Comisión de Enseñanza de Alianza Popular. Barcelona.*

¿Verdad o mentira?

	V	M
1. La experiencia tiene lugar en una parte de la ciudad donde vive gente de clase media y liberal.	☐	☐
2. Uno de sus principales objetivos es que los niños y niñas comiencen a conocer el cuerpo humano.	☐	☐
3. Los niños aprenden técnicas anticonceptivas y se les informa de los distintos tipos de relaciones sexuales posibles.	☐	☐
4. En el proyecto se le da mucha importancia a la formación ética y moral.	☐	☐
5. Este proyecto ha sido elaborado por los propios padres de los alumnos.	☐	☐
6. Este tipo de experimentos no suelen ser muy peligrosos.	☐	☐
7. El contenido del programa no merece ningún tipo de crítica.	☐	☐

Tú, como presidente de la Asociación de padres del Colegio "El pino verde", escribe una carta al periódico, recogiendo la opinión de todos los padres de la Asociación, mostrando vuestro acuerdo o desacuerdo con el tema y justificándolo.

3.

Lee este artículo:

Aprender a expresarse

La pobreza del vocabulario de los escolares alcanza niveles preocupantes

| JOSÉ LOMAS, Madrid

Fernando Atán, un chico de 10 años que estudia EGB, es incapaz de expresar correctamente algo tan sencillo como lo que hizo el domingo anterior. "Pues, uummm... estuve... bueno... estuve en el Zoo y... y bueno... había una chica sacando... sacandooo... bueno, fotos y yo... y también había... eehhhhh, lo pasé muy bien y eso.

¿No?". Fernando no es un mal alumno. No saca notas brillantes, pero tampoco suspende los cursos de básica, ni tiene ningún defecto de vocalización. Es un chico corriente, como otros muchos, posee una pobreza de léxico que empieza a preocupar muy seriamente a padres, profesores y responsables del Ministerio de Educación.

"Casi se puede decir que es la forma de hablar de los muchachos de hoy en día", asegura el subdirector general de Enseñanza Básica, Antonio Espinosa, "tal vez provocado por los medios de comunicación, la televisión sobre todo, pero desde luego no corregido por los profesores que no fomentan el debate en las aulas".

La pobreza de vocabulario de los niños está alcanzando cotas casi alarmantes. Espinosa reconoce que "los

escolares españoles muestran un alto nivel de comprensión del vocabulario, entre el 90%, según estudio que hemos hecho, pero cuando tiene que expresar eso mismo que han comprendido observamos una enorme falta de coherenecia en la estructura de las frases, pobreza de adjetivación e inexistencia de nexos adecuados".

Para tratar de mejorar esta situación, el Ministerio de Educación ha comenzado a elaborar un anteproyecto de reforma de la enseñanza básica en el que esta cuestión ocupa un lugar destacado. De hecho, en algunos colegios pilotos donde se experimenta ya la reforma se han conseguido buenos resultados, pero este proyecto, aún en fase experimental, afecta actualmente a un número reducidísimo de alumnos.

Y ahora forma frases respetando el contenido del artículo:

| posee un léxico muy pobre |
| tendrían que corregirlos |
| la televisión, sobre todo |
| no es mal alumno |
| parece estar relacionada con el origen social de la familia |
| pero un bajo nivel de capacidad expresiva |
| ha comenzado a elaborar un proyecto de reforma de la enseñanza |
| pero tampoco suspende los cursos |
| estudia E.G.B. |
| es igual a la de muchos jóvenes |
| poseen un alto grado de comprensión del vocabulario |
| empiezan a preocuparse |
| de expresarse correctamente |
| ni tiene defectos de vocalización |

| Fernando Atán |
| Es incapaz |
| No saca notas brillantes |
| Sus padres y profesores |
| Su forma de hablar |
| La responsabilidad puede ser de |
| Los profesores |
| Los escolares españoles |
| El Ministro de Educación |
| La pobreza del lenguaje en los niños |

Ordena las frases tal como aparecen en el original.

4.

Lee el artículo de Rosana Torres y rellena la ficha técnica de esta obra de teatro.

Diversión en torno a las autonomías

Antonio Gala estrena en Madrid 'El hotelito'

ROSANA TORRES

Ayer se estrenó en el teatro Maravillas de Madrid la última obra teatral del escritor Antonio Gala, *El hotelito*, dirigida por Gustavo Pérez Puig y Mara Recatero y con decorados de Francisco Nieva. La obra, escrita a modo de farsa esperpéntica, es una comedia en la que Gala da su visión personal sobre el momento que vive España desde el punto de vista de la relación entre las diferentes autonomías.

En el reparto, en el que intervienen sólo mujeres, cada una de ellas simboliza diferentes autonomías, cinco que Antonio Gala ha elegido como las más representativas y con rasgos más diferenciados de todas las existentes. Rocío, papel encarnado por María José Alfonso, es Andalucía; Begoña, el País Vasco, por Josele Román; Carmina, la gallega interpretada por Beatriz Carvajal; Montserrat representa a Cata-

luña, interpretada por Julia Martínez, y una madrileña, Paloma, interpretada por Pilar Bardem.

Para Gustavo Pérez Puig, el planteamiento de la obra presentaba dificultades. "Por un lado es una farsa tirando a esperpento, en la que los personajes están desdoblados, ya que por un lado son arquetipos y por otro son mujeres. También se planteaba tener que utilizar un decorado único en el que las cinco mujeres se encuentran de forma continua, por lo que había que conseguir que esto no resultara reiterativo y al mismo tiempo jugar con el hecho de que cada una de ellas representa a un sector del país, por lo que en sus actitudes nadie debía sentirse herido. Lograr el equilibrio entre estos factores era nuestro principal trabajo".

El decorado, situado en un viejo palacio del siglo XV, es para Pérez Puig un logro lleno de poética de Francisco Nieva,

una forma de entender nuestra España.

Para el director, la obra tiene muchas lecturas: desde la comedia para divertir hasta una posible lectura analítica de la situación actual de nuestro país.

El hotelito *se representa en el teatro Maravillas de Madrid.*

Nombre de la obra: _____

Autor: _____ Lugar del estreno: _____

Director: _____ Argumento: _____

Escenografía: _____ _____

Actores/actrices:

_____ en el papel de:

_____ _____

_____ _____

_____ _____

_____ _____

¿Qué opina el director de la obra? Selecciona la información correcta:

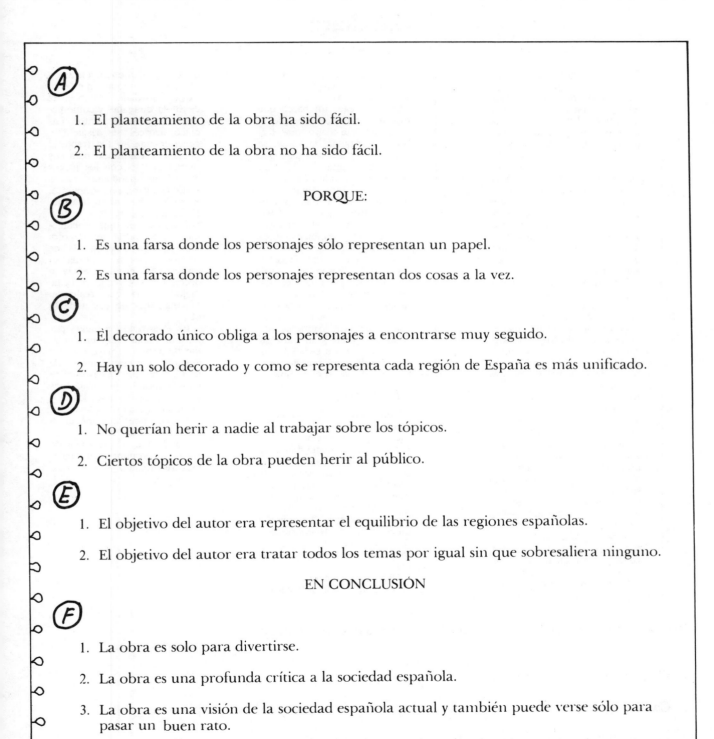

A

1. El planteamiento de la obra ha sido fácil.

2. El planteamiento de la obra no ha sido fácil.

PORQUE:

B

1. Es una farsa donde los personajes sólo representan un papel.

2. Es una farsa donde los personajes representan dos cosas a la vez.

C

1. El decorado único obliga a los personajes a encontrarse muy seguido.

2. Hay un solo decorado y como se representa cada región de España es más unificado.

D

1. No querían herir a nadie al trabajar sobre los tópicos.

2. Ciertos tópicos de la obra pueden herir al público.

E

1. El objetivo del autor era representar el equilibrio de las regiones españolas.

2. El objetivo del autor era tratar todos los temas por igual sin que sobresaliera ninguno.

EN CONCLUSIÓN

F

1. La obra es solo para divertirse.

2. La obra es una profunda crítica a la sociedad española.

3. La obra es una visión de la sociedad española actual y también puede verse sólo para pasar un buen rato.

10.

Ahora lee este otro artículo:

Cháchara

EDUARDO HARO TECGLEN

A El castillo está en ruinas, las cinco primas que lo habitan van a venderlo a una extranjera, para irse a vivir cada una a un pisito; disputan entre sí, se unen después y deciden seguir juntas y bailar por sevillanas. Y estalla una bomba. El castillo es España; las primas son Galicia, Andalucía, Cataluña, Vasconia y Madrid –que a su vez representa a otras primas que no están–. De la bomba se sabe poco: se oye su explosión cuando cae el telón y queda en duda si es obra del novio-chulo de la vasca Begoña o la explosión nuclear.

B Esta situación única no da de sí para una obra de teatro, y el autor la rellena con la cháchara –conversación animada pero insustancial–, para cuyo uso –y en este caso abuso– tiene mucha facilidad. Se trata de insistir en lo obvio y presentarlo como algo original y gracioso.

C Las chicas se llaman Carmiña, Rocío, Montserrat, Begoña y Paloma: esta obviedad se acompaña, claro, del acento pronunciado de cada una y de la descripción de carácter adecuado. Cada una exalta sus

D propios tópicos y ridiculiza los de las otras. Cada una canta sus canciones y evoca sus buenos tiempos rústicos y pastoriles. Y luce su gastronomía y su traje típico. De cuando en cuando hay una antología del romancero y de los clásicos, venga o no a cuento de la situación; o de trabalenguas, o del refranero. Algunas danzas regionales. Los efectos de tea-

E tro se repiten: por ejemplo, Carmiña, la gallega, trepa innumerables veces al mirador para ver llegar un barco que espera siempre, desde que la obra empieza hasta que termina. Y Begoña, la vasca, se mete entre bastidores para que su novio le pegue y le robe. De cuando en cuando una da una bofetada a la otra, con el efecto hilarante que esto ha producido siempre en el circo. Y Paloma-Madrid toca el silbato del árbitro... Hay también evoca-

F ciones históricas que terminan en chiste, y recuerdos insistentes de quien fundó todo aquello, los Reyes Católicos. A veces escapa de esto un rasgo de ingenio, un chistecillo gracioso o una metáfora poética limpia. Principalmente está el tópico, y en gran parte la palabrota, la obscenidad, las palabras de doble sentido y sobre todo las de sentido único.

Obra insólita

Es una obra insólita. La construcción es nula; la trama, elemental, y la intención, oscura. Está suficientemente fuera de cualquier compromiso que no sea más que vagamente el de recordar que esta familia española tiene que vivir junta frente al extranjero, como lo ha hecho siempre. Aunque eso quizá la lleve a la destrucción final, que sorprende a las primas mientras bailan por sevillanas.

Obra de cháchara, Gustavo Pérez Puig y Mara Recatero,

directores, la montan a gritos y desplantes, como en un escenario de variedades, como en el circo –la zaragata– y como parece requerir el texto. Las cinco actrices se desgañitan, generalmente en fila frente al público o avanzando para sus monologuillos, con los juegos de luz correspondientes. No es justo destacar a una sobre otra, ni en lo bueno ni en lo malo. Están apayasadas por el texto y por la dirección (que probablemente no podría ser de otra manera). La escenografía de Francisco Nieva recuerda su especialidad en decadencia o decrepitud sugerente: es bella, mejor ideada que realizada. Los figurines no pasan de lo obvio.

En el estreno del jueves por la tarde había quizá un centenar de personas mayores y un aluvión de estudiantes de COU. Fue un buen público para la obra: las palabrotas, los acentos y las coplillas, los desplantes de las actrices, les hicieron reír abundantemente a todos y aplaudir; con efecto redoblado ante la presencia de Gala, que pronunció unas palabras recordando que estamos en Navidad.

Busca estas informaciones y señala en qué apartado están:

1. El tema de la obra es muy pobre. ☐

2. Cada personaje habla el castellano con el acento característico de su propia región. ☐

3. Los cinco personajes de la obra representan cada uno una región autonómica. ☐

4. De vez en cuando hay un pequeño toque gracioso. ☐

5. Se mencionan los tópicos, la comida y el folklore de cada región. ☐

6. El autor necesita llenar el texto de la obra con conversaciones sin importancia. ☐

7. Las acciones de los personajes se repiten continuamente. ☐

B. ¿Qué opina el crítico teatral sobre la obra? Di si es verdad o mentira:

	V	M
1. El argumento es muy complicado.	☐	☐
2. Las intenciones del autor son muy claras.	☐	☐
3. Se asume un gran compromiso político.	☐	☐
4. Es una obra para ser representada en un circo.	☐	☐
5. No puede decirse que una actriz actúe mejor que otra.	☐	☐
6. El texto les obliga a asumir actitudes de payaso.	☐	☐
7. La idea de la escenografía es buena, pero su realización no tanto.	☐	☐
8. El público se aburrió mucho el día del estreno.	☐	☐

5.

Tú no estás de acuerdo con esta carta al Director firmada por Irene Puertas. Escribe otra, contestándole y contándole lo que te pasó la semana pasada: tuviste que llevar a un familiar al hospital. No había aparcamiento y dejaste el coche encima de la acera cuatro o cinco minutos. Al volver, la grúa se había llevado el coche. Tuviste que pagar 6.000 pts. de multa.

La Guardia Urbana no protege a los peatones

Si a alguien en el ayuntamiento le interesa la opinión de un ciudadano de a pie quiero que sepan que considero que esta ciudad es cada vez más de los coches y menos de los peatones. Y ello es así con el consentimiento de la Guardia Urbana que, supongo, es a quien corresponde poner a cada cosa en su sitio, es decir, a los coches en la calzada y proteger a los peatones en las aceras. Que los urbanos *pasan* olímpicamente de los coches aparca-dos en las aceras es un hecho evidente.

Pero si quieren pruebas, aquí hay una. Día 9 de junio, sobre las 8 de la tarde, lateral de la Gran Vía. La acera, ocupada por vehículos aparcados que dificultan el paso de los peatones. Un coche de la Guardia Urbana matrícula B-5837-DN circula lentamente por ese lateral con el panorama expuesto, un coche aparca en sus narices sobre uno de los espacios libres de la acera. Y como si nada. ¿Resulta lógico que unos urbanos se tapen los ojos para no ver una infracción? Es como si se cometira un robo y las fuerzas del orden se inhibiera. —**Irene Puertas** (Barcelona).

6.

Relaciona las frases utilizando mientras que/en cambio:

Juan siempre dice lo que piensa.
A Ana le encanta el deporte.
Pagando al contado nos hacen un 10%.
Menos mal que hay gustos para todo. Yo detesto los pasteles.
No sé como lo haces. Yo me paso horas haciendo un ejercicio.

Tú lo haces en dos minutos.
A mi hermano le fascina lo dulce.
Pablo es muy introvertido.
José Luis se pasa el día escuchando música y leyendo.
Pagando a plazos nos cargan un 5%.

7.

Une las frases utilizando las siguientes partículas y haz las transformaciones necesarias:

como si
si
en caso de que
así que
antes de que
mientras
como
siempre que

1. Cuéntaselo tú.
   Se va a enterar por la portera.

   _____

2. Llámanos por teléfono.
   A lo mejor llegas tarde.

   _____

3. No son hermanos.
   Se quieren mucho.

   _____

4. Riega las plantas más a menudo.
   Se te van a morir.

   _____

5. No dio la paga y señal que pedían para reservar el piso.
   Se lo vendieron a otro.

_____

6. Te dejo el coche.
   Devuélvemelo mañana sin falta.

_____

7. Nos iremos a Brasil.
   Se firmará el contrato a finales de mes.

_____

8. Los novios van a llegar de un momento a otro.
   Yo traigo la tarta. Apaga las luces.

_____

8.

Ayer oiste a varios de estos personajes hacer estas declaraciones. Imagínate que quieres contárselo a alguien. ¿Cómo lo harías?

"A pesar de que mi infancia fue muy trágica, la peor parte de mi vida fue la adolescencia" (**Maruja Torres**, *periodista*)

"De pequeña el baile era un verdadero refugio para mí, y, luego, a través de los años, ha sido la forma que he tenido de manifestarme" (**Cristina Hoyos**, *bailarina*)

"El ciclismo español ha comenzado a importar mano de obra extranjera. Esto se debe a que el mercado español mueve tanto dinero que cualquier gerente ha llegado a la simple conclusión de que un sprinter belga o un rodador francés trabajan por mucho menos dinero que cualquier español."(**Luís Gómez**, *periodista*)

"Con los separados comienza a pasar en España lo que cuentan que pasaba con los habitantes de Pamplona en los años 40. Si ibas por la calle y el que te precedía no era fraile ni monja, es que lo era el de detrás. Y si no, lo eras tú mismo". (**Alberto Moncada**, *sociólogo*)

"No es verdad que yo haya levantado grandes pasiones. Sí es cierto que he tenido grandes simpatías". (**Marita Villalonga**, *banquera*)

"–Cada vez hay más gente que se plantea no tener hijos. ¿Crees que, en el fondo, es una locura traerlos a un mundo como el que estamos viviendo?" (**Entrevistadora**)
–Yo comprendo que se nieguen. La elección es libre y me parece respetabilísimo elegir no tenerlos, aunque no es mi caso". (**Nuria Espert**, *actriz*)

"La raza calé no se acaba. Por mi parte quiero que perdure, que no se mezcle y siga la pureza". (**Camarón**, *cantante*)

10.

9.

Pon los verbos en su forma correcta:

1. ● Oye, yo creo que lo mejor es que (IR-tú) _____ a hablar con el director y le (DECIR)

   _____ la verdad.

   ○ Vale, pero lo más probable es que no (QUERER-él) _____ trasladarme.

2. ● María, dime la verdad, ¿quieres que (QUEDARME) _____ hasta que (VENIR)

   _____ tus padres?

   ○ No, no hace falta que (MOLESTARSE-tú) _____. Gracias.

3. ● ¡Qué bien que (VOLVER-tú) _____ a casa! No te puedes imaginar lo que te

   (ECHAR) _____ de menos. Mira qué bonita (QUEDAR) _____ tu habitación.

   ○ Os agradezco mucho todo lo que (HACER) _____ por mí.

   Ojalá lo (DECIDIR-yo) _____ antes.

4. ● Le agradecería que me lo (TRAER-usted) _____ esta misma tarde, es que no me
   encuentro muy bien.

5. ● Me da miedo que no (ENTENDER-ellos) _____ nada de lo que he dicho en la
   conferencia, ponían unas caras...

6. ● ¿Tú crees que vale la pena que (PONER-yo) _____ el dinero en una libreta a plazo fijo?

   ○ A mí me parece bien que (AHORRAR-tú) _____, pero hay otras maneras de invertir.

7. ● Me alegro de que (HABLAR-tú) _____ tan bien el español, ahora seguro que

   (CONSEGUIR-tú) _____ ese trabajo de traductor que tanto te interesa.

8. ● ¿Y ahora os dais cuenta? Es lógico y natural que esto (FUNCIONAR) _____.

   ○ Claro, porque, para empezar, si (PENSAR-nosotros) _____ que esto no iba a

   funcionar, no lo (HACER-nosotros) _____.

190

10.1.

MODELO: normal
Yo eso lo veo normal.

1. normal
2. lógico
3. correcto
4. mal
5. un error
6. bien

10.2.

MODELO: normal
¿Tú encuentras normal eso?

1. normal
2. necesario
3. bien
4. natural
5. aceptable
6. justo

10.3.

MODELO: Llega cada día tarde. No es normal.
No es normal que llegue cada día tarde.

1. Llega cada día tarde. No es normal.
2. Está muy enfadado. Es natural.
3. Quiere hablar contigo. Es lógico.
4. Le critica. No es justo.
5. Lo sabe. Está bien.
6. Quiere cobrar. Es natural.
7. No quiere ayudarte. Es increíble.

10.4.

MODELO lógico/eso
¿A usted le parece lógico eso?

1. lógico/eso
2. normal/que haga eso
3. bien/la propuesta de Ruiz
4. necesario/discutirlo todos
5. conveniente/explicárselo al Sr. Palacio
6. mal/que vaya también la secretaria
7. aceptable/el proyecto

10. Lo que oyes

10.5.

> MODELO: Ve.
> Merece la pena que vayas.

1. Ve.
2. Díselo.
3. Visítalo.
4. Llámala.
5. Vuélvelo a hacer.
6. Hablemos con calma.

10.6.

> MODELO: Id el jueves.
> Lo mejor es que vayáis el jueves.

1. Id el jueves.
2. Hablad con el Director.
3. Mirad en el periódico.
4. Explicádselo a Juan.
5. Preguntádselo a Mercedes.
6. Alquilad un coche.
7. Reservad mesa con tiempo.

10.7.

> MODELO: este artículo
> ¿De qué trata este artículo?

1. este artículo
2. esta novela
3. esa película
4. la obra
5. ese programa

10.8.

> MODELO: Vamos a llegar tarde.
> Me temo que vamos a llegar tarde.

1. Vamos a llegar tarde.
2. Se ha estropeado el termo.
3. Nos hemos quedado sin gasolina.
4. No hay nada que hacer.
5. Tiene fiebre.
6. Tendremos que esperar mucho rato.

10.9.

MODELO: salir esta noche
Me gustaría salir esta noche.

1. salir esta noche
2. ir a verles a Santander
3. estudiar música
4. descansar un rato
5. tomar algo
6. ver El Prado

10.10.

MODELO: venir también Enrique
Me gustaría que viniera también Enrique.

1. venir también Enrique
2. decírselo tú a tu hermano
3. cenar nosotros un día de estos por ahí
4. salir nosotros con Félix el domingo
5. Jacinto comprenderlo
6. el piso estar en el centro

10.11.

Repite:

1. Yo no me refería a eso.
2. O sea, que estás de acuerdo.
3. Es decir, que estás de acuerdo.
4. Entonces estás de acuerdo...
5. Como no lo hagas...
6. Dígame, ¿de qué se trata?

10.12.

MODELO: Si no está de acuerdo, no sé qué vamos a hacer.
Como no esté de acuerdo, no sé qué vamos a hacer.

1. Si no está de acuerdo, no sé qué vamos a hacer.
2. Si no va pronto, no encontrará billetes.
3. Si se lo dice a Ana, se va a enfadar.
4. Si no estudia más, va a suspender.
5. Si no vas ahora mismo, lo encontrarás cerrado.

10.13.

Repite:

1. Supongamos que no lo sabe...
2. Pongamos que diga que sí...
3. Imaginemos que lo acepta...
4. Supongamos que quiera verlo...
5. Pongamos que es así...
6. Imaginemos que dice que sí...

10. Lo que oyes

10.14.

Repite:

1. Si en vez de llamar, hubieras ido...
2. Si en lugar de decírselo a Eva, hubieses hablado conmigo...
3. Si en lugar de venir hoy, hubieras venido ayer...
4. Si en vez de comprar ése, te hubieras quedado el grande...
5. Si en lugar de acostarte tan tarde, te hubieras ido a la cama pronto...

10.15.

Escucha y contesta por escrito cómo lo ven, qué les parece:

1. _____
2. _____
3. _____
4. _____
5. _____
6. _____
7. _____
8. _____
9 _____
10. _____
11. _____
12. _____
13. _____
14. _____
15. _____

Claudius, profesor de idiomas

I

Me dio un vuelco el corazón cuando supe que Claudius, profesor de idiomas, era mi viejo y entrañable amigo de los meses de Rotterdam, Claudius van Vlardingenholen, a quien yo en un tiempo tanto quise y admiré.

A Claudius lo conocí en Rotterdam precisamente el año 34, con motivo de una reunión de veterinarios a la que fui invitado por su presidente M. Paul Antoine L'Aparcerie, un bretón calvo y ventrudo, que era amigo de mi familia y había sido socio industrial de un tío mío en no sé qué contrabando por los campos del Miño.

Claudius estaba de permiso y se pasaba el día deambulando para arriba y para abajo, las manos en los bolsillos del abrigo y la cabeza descubierta. Recuerdo que la primera vez que lo vi, ensimismado y casi sonriente, fue en el puerto mirando cómo descargaban unas cajas del "Monte Athos", un vapor griego, sucio y lleno de mataduras, que venía de Bremen. Yo hubiera jurado que era un profesor de Ética o de Literatura; no sé por qué, pero me parecía que sus noches deberían estar dedicadas al estudio y a la lucubración. Cuando me dijeron que era el verdugo de Batavia, en las Indias Neerlandesas, sacudió todo mi cuerpo una extraña sensación entre chasco, desilusión y sorpresa.

—¿Pero es ése?

—Sí, señor; pero es afable y dulce, ya verá usted. Por los españoles siente una gran admiración; yo le oí, hace años, una conferencia en La Sorbona y pude percatarme bien a las claras. La tituló..., no recuerdo bien..., algo así como "Aportación al conocimiento de los espesores de la piel del cuello en la especie humana", y de ustedes hizo un cumplido elogio. Verá, venga que se lo presente.

Su sonrisa era clara como una fuente, su bigote intentaba vanamente dar a su faz un aire misterioso y sus ojos de azul purísimo tenían un inefable aire de nostalgia; parecían los ojos de un joven poeta marinero que hubieran quedado clavados, con su corazón, en cualquier punto de los lejanos mares del Sur.

—La vida, amigo mío —me dijo a renglón seguido de la presentación— está toda ella rebosante de amargas decepciones.

—Cierto —le respondí sentenciosamente y no muy convencido.

—¡Y tan cierto! Ya ve usted, hace un rato yo me decía: "Claudius, si sabes de dónde viene este barco te compro medio kilo de salchichas", y me respondía por lo bajo: "De Liverpool". Pues ya ve usted; pregunto finamente a un marinero: "¿Verdad que vienen ustedes de Liverpool?", y me responde con sequedad: "¡No! ¡De Bremen!" ¿Usted cree que esto es justo?

—No.

—Naturalmente que no.

Claudius se quedó un instante parado mirando para el barco; su ademán era más misericordioso que solemne, más humilde y apabullado que retador y colérico.

—¿Ve usted aquel marinero de la camisa blanca que cojea un poco?

—Sí, señor.

—¡Pues ése fue!

—Es terrible.

—Ya lo creo. Pero no para ahí todo. Después de mi fracaso quise reivindicarme y me dije: "Claudius, si aciertas lo que va dentro de las cajas te compro medio kilo de salchichas".

—¿Otro?

—No, señor; el mismo. Yo entonces murmuraba, para mí: "Esas cajas llevan maquinaria agrícola". Pregunté y, efectivamente, las cajas no llevaban maquinaria agrícola; llevaban lavabos. Creí desesperar.

Claudius mostraba todo él un gran abatimiento. Yo traté de reanimarle.

—Amigo Claudius —le dije—, le regalo a usted medio kilo de salchichas.

—No —me respondió con los ojos llenos de lágrimas—, no puedo decir que sí. Tendría que ofrecerle algo mío a cambio, y usted no aceptará. Tendría al menos que acertar en algo, que complacerle en alguna cosa.

—Véngase usted conmigo.

—¿A dónde?

—A la sesión de esta tarde del Congreso de Veterinarios.

—No puedo, amigo mío, y créame que lo siento; con gran dolor de mi corazón me veo obligado a decirle a usted que no puedo. Usted habrá podido observar que no le mentía cuando le aseguraba que la vida está toda ella...

—¡Llena de amargas decepciones!

—Exacto.

—¿Y a usted le violentaría mucho...?

—¿Acompañarle? ¡Espantosamente!

—¿Ni aun a cambio de medio kilo de salchichas?

—Ni aun así, amigo mío. Estuve una vez en el Congreso y creí morir. Yo, ¿sabe usted?, soy nacionalista, ferozmente nacionalista. Para mí no hay nada mejor, ni más bello, ni más grande que mi dulce país. Donde esté un buen queso holandés que se quiten de enmedio la muralla de la China, o la raza de guerreros de la Marca de Brandemburgo, o las glorias de Napoleón Bonaparte, o, ¡perdone usted la catedral de Santiago de Compostela o las corridas de toros. Cuando empiezo a hablar de esto —dijo bajando la voz— no hay quien me pare; procuraré ser breve esta vez. Como le decía a usted, yo soy nacionalista. ¿Usted cree que hago mal?

—No, señor; hace usted perfectamente.

—Eso creo yo. Pues bien: ése es el motivo. Yo no puedo ir al Congreso porque enfermo. Yo no puedo tolerar que sobre la mesa de la presidencia se lea en aquella horrorosa pancarta y en cinco idiomas diferentes:

VETERINARIOS DE TODOS LOS PAISES.
¡UNIOS!

Mi amigo Claudius estaba todo él iluminado como las cabezas de los santos en las estampitas.

—Creo honradamente —continuó— que a eso no hay derecho.

C. J. Cela, *Bonito crimen del carabinero*

10. Al pie de la letra

HAN transcurrido diez años desde la muerte del general Franco y casi cincuenta del comienzo de una guerra civil que dividió a los españoles y sumergió al país en un baño de sangre. El tiempo que todo lo cura ha superado las heridas de aquel enfrentamiento armado y el transcurso de una década también ha sosegado los ánimos, al menos lo suficiente como para poder enjuiciar hoy la figura de Francisco Franco.

Esta revista ha querido preguntar a los ciudadanos que conocieron el anterior régimen, a las personas mayores de treinta años, su opinión sobre los hechos, las figuras, las instituciones y la sociedad que Franco presidió durante su largo y omnímodo mandato.

Con este fin CAMBIO16 elaboró una encuesta que permitiera conocer la imagen que queda en la mente de los españoles del franquismo y de Franco. La encuesta, realizada por el Instituto ECO, S. A., irá revelando desde este número y en sucesivas semanas, la opinión pública sobre este tema. El estudio concluirá con el veredicto de los españoles sobre el régimen franquista.

I. Guerra civil o lucha de clases

Los españoles se pronuncian sobre el régimen anterior en una encuesta que analiza el significado del franquismo. La opinión de todos sobre Franco y la guerra civil, la Iglesia, los militares, su familia, la cultura, etcétera. En el último capítulo, el veredicto: el régimen de Franco, ¿fue bueno o malo para España? ¿Le gustaría que volviera el franquismo?

¿Fue inevitable aquella guerra civil? No hay una posición clara en las respuestas y la opinión se encuentra muy dividida y equilibrada. Para el 38 por ciento, la guerra no pudo evitarse y para el 41 por ciento, el conflicto bélico podía haberse evitado. Resulta cuanto menos curioso que, al cabo del tiempo, a pesar de los comentarios familiares, los libros escritos, los relatos de los protagonistas, etcétera, todavía no se produzca una opinión clara por un *sí* o por un *no* en esta cuestión.

Son las personas nacidas después de la guerra o que entonces eran unos niños quienes piensan que la lucha armada no era inevitable. Por el contrario, los mayores de sesenta años, donde entra todo el bloque de los antiguos combatientes o de, al menos, quienes conocieron de jóvenes la guerra, constituyen el segmento del fatalismo de la inevitabilidad. Pero el juicio sobre si la guerra civil fue inevitable o no, depende, sobre todo, del posicionamiento ideológico de los entrevistados. Para las personas que se ubican en la derecha, claramente la guerra fue ineludible; en cambio, para la izquierda, pudo haberse evitado. Las personas de alto nivel social y los votantes de Alianza Popular se alinean con la primera tesis. Los trabajadores manuales, la izquierda y el centro y los votantes del PSOE, creen lo contrario: la guerra pudo evitarse.

En este terreno de lo que pudo haber sido y no fue era interesante conocer la opinión de los españoles sobre otro supuesto. Es decir, si la guerra sirvió para algo, si acaso hoy viviríamos mejor o peor de haber continuado la República sin la interrupción del alzamiento en armas.

Aquí las respuestas ya no reflejan la división en dos mitades. Una tercera parte de los españoles no se atreven a contestar. Pero los que entran en el juego de los supuestos, mayoritariamente responden que hoy viviríamos mejor. La contestación es dura porque significa, en último término, que la guerra civil no trajo como consecuencia una mejora para el conjunto del país. El

¿Fue inevitable la guerra civil?

"El régimen de Franco tuvo su inicio en la guerra civil española.
¿Cree usted que fue inevitable aquella guerra civil?"

	%
Sí	38
No	41
No recuerda	21

¿Y si no hubiera habido guerra civil?

"Si no hubiera habido guerra civil y de haber seguido hasta hoy la República, ¿piensa que ahora estaríamos mejor, peor o igual que estamos?"

	%
Mejor	36
Igual	13
Peor	15
No contesta	36

36 por ciento responde que viviríamos mejor. Sólo la derecha y los votantes de la Coalición Popular dicen por mayoría que con la continuación de la República hubiéramos vivido peor. O, dicho de otra manera, que la situación actual es mejor que si no se hubiera producido la guerra civil.

El primero de abril de 1939 concluyó la contienda que durante tres años dividió al país. Al acabar la guerra, ¿cuál fue el comportamiento del régimen franquista con los vencidos?

No hay duda: para tres de cada cuatro personas entonces comenzó la represión de Franco. Hasta el número de los no sabe, no contesta, desciende vertiginosamente porque sobre este asunto sí que tienen una idea clara y desean expresar su opinión. En total, para el 18 por ciento el régimen franquista fue muy generoso o aceptable (indulgente) en su comportamiento con los vencidos; para el 74 por ciento, fue más bien duro o durísimo (represivo) y el 9 por ciento restante no opina.

Ni por grupos de edad ni por nivel social, en ninguna de las divisiones de la encuesta, alcanzan mayoría los partidarios de la «indulgencia». En cuanto a la división según autoubicación política del entrevistado, para el 95 por ciento de la izquierda y el centro-izquierda o izquierda moderada el comportamiento de Franco en la posguerra fue represivo; las tres cuartas partes de las personas que se consideran de centro piensan lo mismo y hasta en la derecha moderada o centro-derecha son mayoría (53 por ciento) quienes dicen que hubo represión.

Sólo la derecha-derecha, que representa al 10 por ciento de los españoles, declara abiertamente la generosidad de Franco con los vencidos (54 por ciento, *indulgente;* 37 por ciento, *represivo).* Pese a todo, es muy importante esa cifra de más de una tercera parte de la derecha reconociendo la dureza en la represión. Los votantes de la Coalición Popular se encuentran prácticamente escindidos en sus respuestas (49 por ciento, *indulgente,* frente al 43 por ciento, *represivo).*

Al analizar el conjunto de las respuestas y las actitudes ideológicas de los españoles frente a las preguntas de la encuesta, otro viejo dilema vuelve a surgir: Aquella confrontación, ¿fue una guerra civil o una lucha de clases?

José Manuel Arija

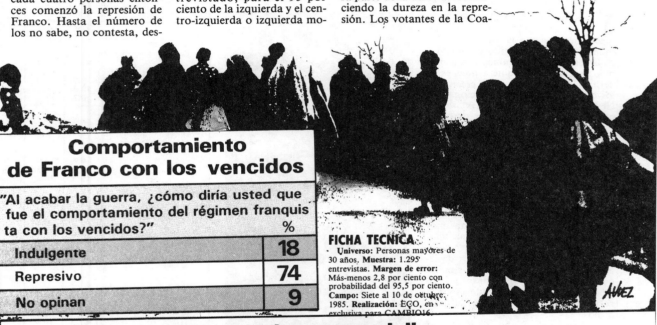

Comportamiento de Franco con los vencidos

"Al acabar la guerra, ¿cómo diría usted que fue el comportamiento del régimen franquista con los vencidos?"	%
Indulgente	18
Represivo	74
No opinan	9

FICHA TECNICA. Universo: Personas mayores de 30 años. **Muestra:** 1.295 entrevistas. **Margen de error:** Más-menos 2,8 por ciento con probabilidad del 95,5 por ciento. **Campo:** Siete al 10 de octubre, 1985. **Realización:** ECO, en exclusiva para CAMBIO16.

Franco y la guerra civil

%	Total nacional (100)	Edad 30 a 45 años (29)	Edad 46-60 años (42)	Edad Más de 60 años (29)	Alto nivel (16)	Medio (24)	Especia-lista (35)	Obrero (24)	Izquierda (17)	Centro izquierda (22)	Centro (28)	Centro derecha (13)	Derecha (10)	AP (18)	PSOE (34)
FUE INEVITABLE LA GUERRA CIVIL															
● Sí	38	35	37	43	51	37	36	35	36	37	32	61	54	57	32
● No	41	44	39	41	36	43	42	40	55	50	42	20	28	25	50
● No recuerda	21	21	24	16	13	20	23	25	9	13	26	19	18	19	19
COMPORTAMIENTO DE FRANCO CON LOS VENCIDOS															
● Indulgente	18	14	17	21	25	20	16	13	1	3	16	40	54	49	6
● Represivo	74	79	73	69	69	74	75	74	96	94	74	53	37	43	88
● No opinan	9	7	10	10	6	6	9	13	3	3	10	7	9	8	6
SI NO HUBIERA HABIDO GUERRA CIVIL, AHORA ESTARIAMOS...															
● Mejor	36	47	32	32	38	32	39	35	69	51	31	12	16	11	46
● Igual	13	12	14	13	12	17	10	15	6	13	17	19	11	11	12
● Peor	15	11	16	18	25	16	13	11	5	7	11	34	46	45	8
● No contesta	36	30	38	37	26	35	37	38	20	29	41	35	28	33	34

ESTE PAIS

Encuesta ECO-CAMBIO 16

La izquierda es de derechas

Los españoles hemos acabado con los extremismos en los calificativos políticos. Ni la derecha aparece como reaccionaria, ni la izquierda como revolucionaria. Unos y otros piensan que todos somos moderados.

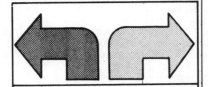

Qué es ser de izquierdas o de derechas

Posiblemente, cada uno tenga su propia opinión sobre lo que significa ser de derechas o de izquierdas. Para usted, ¿cuáles serían las actitudes más frecuentes en una persona de derechas o izquierdas?

LAS figuras de la alpargata y la chistera, del comecuras y del meapilas, de la antorcha y las cadenas han desaparecido ya, no sólo de la realidad sino también como símbolos sociales. Ni siquiera quienes se definen como de derechas creen que los de izquierda sean revolucionarios. Ni tampoco quienes dicen ser de izquierdas afirman que los de derechas sean unos reaccionarios.

En la encuesta mensual ECO-CAMBIO 16 se preguntaba a los entrevistados que definieran una serie de características que sirvieran para retratar a la persona de izquierdas y a la persona de derechas. El grueso de las respuestas es una buena muestra para comprender cómo los españoles de hoy huyen de los extremismos y hasta unos piensan de los otros en forma templada.

Según los encuestados, a los de izquierda, la calificación que mejor les cuadra es la de «progresistas», y a los de derecha la de «conservadores». Parecemos ingleses a la hora de definirnos.

Carlos López Riaño, diputado del PSOE y miembro de su corriente Izquierda Socialista, decía a un redactor de esta revista que «hoy la división entre izquierdas y derechas es difícil porque la discusión está sometida a un proceso político positivo pero difuso». Menos difuso, pero en plan buenos y malos, el portavoz de los populares en el Congreso de los Diputados, Miguel Herrero y R. de Miñón, afirmaba que «la derecha se caracterizaría por un enfoque realista de la vida y su defensa a ultranza de la libertad, mientras que a la izquierda se la podría definir por su utopismo y sentido igualitario».

El retrato robot de uno y otro sería el siguiente, a tenor de las respuestas de los encuestados:

Retrato de la persona de izquierdas.—Es una persona más bien joven, de clase media para abajo, indiferente en religión, y en política partidario de

Manifestación de puños abiertos

la intervención del Estado en la empresa, de las autonomías, y contrario a la OTAN. Ideológicamente son progresistas.

Retrato de la persona de derechas.—Entrado en años, cumplen sus deberes religiosos, son de clase alta, partidarios de apoyar la iniciativa privada, poco simpatizantes de las autonomías, quieren que España siga en la OTAN e ideológicamente son conservadores.

Los perfiles son distintos porque todavía funcionan los esquemas tradicionales, pero en mucha de estas respuestas los porcentajes más altos corresponden al apartado de «hay de todo», ya se trate de religiosidad, edad o incluso nivel social. Alejandro Rollán, taxista de treinta y cuatro años, con la

	Los de derechas	Los de izquierdas
En religión son:		
— Católicos practicantes	43,1	3,3
— Indiferentes en religión	3,7	25,5
— Hay de todo	46,9	64,2
— No opinan	6,3	7,1
En economía, piden:		
— Fuerte apoyo a la iniciativa privada	56,5	5,7
— Más intervención del Estado en las empresas	6,6	52,0
— Hay de todo	18,0	21,7
— No opinan	19,9	20,5
En defensa, desean:		
— España en la OTAN	58,1	10,1
— España fuera de la OTAN	7,3	50,8
— Hay de todo	17,2	21,6
— No opinan	17,4	7,5
A nivel de Estado, proponen:		
— Fuerte autonomía para todas las Comunidades que lo deseen	10,3	52,3
— Menos autonomía en general	50,9	7,9
— Hay de todo	17,3	19,4
— No opinan	21,5	20,4
Ideológicamente, son:		
— Revolucionarios	1,9	12,3
— Progresistas	2,4	33,3
— Moderados	12,5	10,8
— Conservadores	44,6	2,3
— Reaccionarios	5,8	2,6
— Radicales	3,8	2,4
— Hay de todo	17,5	24,1
— No opinan	11,6	12,2
Por su edad, son:		
— Jóvenes	2,3	28,9
— Viejos	27,9	3,0
— De toda edad	65,3	63,5
— No opinan	4,5	4,5
En cuanto a su nivel social, es:		
— Clase alta	43,9	0,9
— Clase media	15,2	24,3
— Clase baja	0,5	22,5
— De todas las clases sociales	35,3	47,1
— No opinan	5,0	5,1

N.° 692/4-3-85

QUE ES SER DE IZQUIERDAS, SEGUN LOS ESPAÑOLES

	Total nacional	SEGUN LOS VOTANTES		EDAD				CLASE SOCIAL			
		Del PSOE	De AP	De 18 a 25 años	De 26 a 40 años	De 41 a 60 años	Más de 60 años	Baja	Media baja	Media	Alta
LA POLITICA DEL GOBIERNO ES:											
— De derechas	25	19	14	30	31	22	18	20	25	29	25
— De izquierdas	39	48	49	38	34	41	41	38	37	38	44
— No opinan	36	33	36	32	35	37	41	42	39	33	30
EN RELIGION SON:											
— Católicos practicantes	3	2	2	5	2	3	6	4	4	3	1
— Indiferentes en religión	26	19	35	28	30	23	22	16	25	29	38
— Hay de todo	64	71	55	63	63	66	62	68	63	63	61
— No opinan	7	7	8	5	6	8	10	13	7	5	1
EN ECONOMIA, PIDEN:											
— Fuerte apoyo a la iniciativa privada	6	6	6	8	6	6	4	3	7	7	4
— Más intervención del Estado en las empresas	52	53	52	61	59	51	38	41	47	60	65
— Hay de todo	22	21	23	21	23	22	19	22	23	19	22
— No opinan	21	20	20	9	13	22	39	33	22	13	9
EN DEFENSA, DESEAN:											
— España en la OTAN	10	8	13	16	11	10	5	7	10	13	9
— España fuera de la OTAN	51	55	42	57	56	49	41	40	51	54	64
— Hay de todo	22	20	28	19	23	23	19	23	19	22	23
— No opinan	8	16	18	8	11	17	35	30	20	10	4
A NIVEL DE ESTADO, PROPONEN:											
— Fuerte autonomía para todas las Comunidades que lo deseen	52	58	52	65	58	47	43	44	53	55	61
— Menos autonomía en general	8	7	6	8	8	8	8	6	5	10	14
— Hay de todo	19	17	24	16	22	21	16	17	19	21	21
— No opinan	20	19	19	11	12	24	33	33	23	15	4
IDEOLOGICAMENTE, SON:											
— Revolucionarios	12	6	23	13	12	10	16	10	13	13	14
— Progresistas	33	46	20	44	37	31	25	25	37	33	42
— Moderados	11	10	12	12	13	10	9	11	10	11	13
— Conservadores	2	2	2	3	3	2	1	1	2	4	1
— Reaccionarios	3	1	5	6	2	3	1	2	2	4	3
— Radicales	2	1	4	0	2	4	2	2	2	3	3
— Hay de todo	24	21	24	17	24	27	25	30	19	24	22
— No opinan	12	12	10	5	7	15	21	20	15	8	2
POR SU EDAD, SON:											
— Jóvenes	29	28	33	27	33	31	22	23	25	33	39
— Viejos	3	2	2	3	3	3	3	3	3	4	2
— De toda edad	64	66	60	67	61	62	67	67	67	60	58
— No opinan	5	4	5	3	3	5	9	8	5	3	0
EN CUANTO A SU NIVEL SOCIAL, SON:											
— Clase alta	1	1	1	1	1	2	0	1	0	2	0
— Clase media	24	29	20	31	27	24	15	17	23	28	32
— Clase baja	23	23	24	20	24	23	23	22	21	26	19
— De todas las clases sociales	47	44	49	46	45	47	52	51	51	41	48
— No opinan	5	3	7	2	3	5	10	9	5	4	1

experiencia que da su profesión dice: «Lo que distingue a una persona de derechas de otra de izquierdas es el conjunto. Te encuentras en el taxi con una persona joven y con barbas y luego hablas y ves que es de derechas.»

Para el párroco de San Pablo, en Vallecas, Pablo García, de cuarenta y tres años, «en lo religioso la persona de izquierdas es menos convencional, menos ritualista. La derecha cree en un Dios más a la antigua, donde todo está legislado y al que se encuentra solo en el templo y en los sacramentos».

En verdad que el concepto izquierda y derechas, como decía Carlos López Riaño, es cada vez más difuso. A más de un tercio de los españoles parece no importarle ni saber si el Gobierno es de un lado o de otro. Para el 25 por ciento de los españoles, el Gobierno de Felipe González es de derechas y para el 39 por ciento es de izquierdas. El 36 por ciento restante es el que no opina o no sabe. «Yo sé los que son de izquierdas y los que son de derechas, pero otra cosa es definirlos», como dice Miguel Aroca, de cincuenta y seis años y propietario de dos comercios en Madrid.

Resulta cuanto menos curioso que, a la hora de analizar cómo son los españoles de izquierdas, los votantes de AP les apliquen más connotaciones «izquierdistas» que los propios electores del PSOE. Por ejemplo, la cuarta parte de los simpatizantes aliancistas creen que la izquierda es revolucionaria, mientras que dentro de la propia izquierda sólo lo piensa el 6 por ciento.

Sin embargo, el «miedo a los rojos» ha desaparecido ya de la imaginería política. No llega a la mitad de los votantes aliancistas y al 45 por ciento de la clase social alta quienes piensen que el Gobierno del PSOE es de izquierda. Y la mayoría de la derecha piensa que en religión hay de todo entre la izquierda. Hasta reconocen el 20 por ciento de los electores de AP que la izquierda es de clase media y el 49 por ciento que hay de todas las clases sociales. La verdad es que la izquierda se cree más de derechas de lo que dice la propia oposición.

José Manuel Arija

10. Al pie de la letra

A la orden

JUAN CUETO

Ahora dicen que tenemos que hacer vacaciones inteligentes. Y lo conminan de la misma manera como cuando nos ordenan tomar el sol con precisión científica, observar dieta sana durante la holganza, reglamentar la incontenible sed de burbujas artificiales o incurrir en vida deportiva. Lo más odioso de la insoportable ceremonia veraniega es la mareante acumulación de imperativos categóricos. Bebe esto, visita lo otro, no comas eso, vístete de tal manera, corre así, suda con rigor, extiende bien la crema, protege los ojos, viaja con tarjeta de crédito, pásmate con ese paisaje, cuida la playa, evita el incendio forestal, usa esta ruta, conduce despacio, peca ahí, tararea y baila la canción del verano. Seguramente en eso consiste el famoso descanso veraniego: en un agotador rosario de prescripciones sanitarias, comerciales, cívicas, viarias, municipales y autonómicas. Eso sí, al final del verano eres otro. Con el cerebro mucho más lavado, completamente *light*.

Faltaban las vacaciones inteligentes para redondear la colada mental. A las disciplinas corporales hay que añadir ahora la flagelación espiritual para alcanzar la difícil categoría de veraneante ejemplar. A la orden haré vacaciones inteligentes, ya que con las estúpidas parece que no basta. Pero que me digan qué rayos entienden por *inteligentes*. ¿Visitar todavía más monumentos románicos y góticos? ¿Sufrir en la hamaca con esas novelas reñidas con las listas de *bestsellers* ¿Preferir los bailes autonómicos con instrumentos del país a las discotecas de decibelio multinacional? ¿Discutir en los cursos de verano lo que ya se discutió en los de invierno? ¿Son más inteligentes los veraneos atlánticos que los mediterráneos, los de sierra que los de playa, los organizados por uno mismo que los *charter*, los aburridos que los juerguistas, los castos que los eróticos, los patrióticos que los de pasaporte, los lluviosos que los soleados, los minoritarios que los masificados? Y una última pregunta antes de abandonar mis tradicionales vacaciones idiotas: ¿cuánto desgrava el veraneo inteligente en la declaración de la renta?

El País, *1986*

Quejábase amargamente de no haber tenido a su lado, en tanto tiempo, personas que supieran ver en ella una aptitud para algo, aplicándola al estudio de un arte cualquiera.

—Ahora me parece a mí que si de niña me hubiesen enseñado el dibujo, hoy sabría yo pintar y podría ganarme la vida y ser independiente con mi honrado trabajo. Pero mi pobre mamá no pensó más que en darme la educación insustancial de las niñas que aprenden para llevar un buen yerno a casa, a saber: un poco de piano, el indispensable barniz de francés y qué sé yo..., tonterías. !Si aun me hubiesen enseñado idiomas, para que, al quedarme sola y pobre, pudiera ser profesora de lenguas...! Luego, este hombre maldito me ha educado para la ociosidad y para su propio recreo, a la turca verdaderamente, hijo... Así es que me encuentro inútil de toda inutilidad. Ya ves, la pintura me encanta; siento vocación, facilidad. ¿Será inmodestia? No, dime que no; dame bombo, anímate... Pues si con voluntad, paciencia y una aplicación continua se vencieran las dificultades, yo las vencería, y sería pintora, y estudiaríamos juntos, y mis cuadros..., ¡muérete de envidia!, dejarían tamañitos a los tuyos... ¡Ah, no, eso no; tú eres el rey de los pintores! No, no te enfades, lo eres, porque yo te lo digo. ¡Tengo un instinto!... Yo no sabré hacer las cosas, pero las sé juzgar.

Estos alientos de artista, estos arranques de mujer superior, encantaban al buen Díaz, el cual, a poco de aquellos íntimos tratos, empezó a notar que la enamorada joven se iba creciendo a los ojos de él y le empequeñecía. En verdad que esto le causaba sorpresa, y casi casi empezaba a contrariarle, porque había soñado en Tristana la mujer subordinada al hombre en inteligencia y en voluntad, la esposa que vive de la savia moral e intelectual del esposo y que con los ojos y con el corazón de él ve y siente. Pero resultaba que la niña discurría por cuenta propia, lanzándose a los espacios libres del pensamiento, y demostraba las aspiraciones más audaces.

Benito Pérez Galdós, *Tristana*

ÍNDICE